Inglés Inglés Inglés Inglés Inglés Inglé
ras sinBarreras sinBarreras sinBarreras sinBar Barr

nglés Inglés Inglés Inglés Inglés Inglés
Barreras sinBarreras sinBarreras sinBarreras sinBarreras sinBarreras si

Inglés Inglés Inglés Inglés Inglés Inglé
ras sinBarreras sinBarreras sinBarreras sinBarreras sinBarreras sinBarr

nglés Inglés Inglés Inglés Inglés Inglés
Barreras sinBarreras sinBarreras sinBarreras sinBarreras sinBarreras si

Inglés Inglés Inglés Inglés Inglés Inglé
ras sinBarreras sinBarreras sinBarreras sinBarreras sinBarreras sinBarr

nglés Inglés Inglés Inglés Inglés Inglés
Barreras sinBarreras sinBarreras sinBarreras sinBarreras sinBarreras si

Inglés Inglés Inglés Inglés Inglés Inglé
ras sinBarreras sinBarreras sinBarreras sinBarreras sinBarreras sinBarr

nglés Inglés Inglés Inglés Inglés Inglés
Barreras sinBarreras sinBarreras sinBarreras sinBarreras sinBarreras si

Inglés Inglés Inglés Inglés Inglés Inglé
ras sinBarreras sinBarreras sinBarreras sinBarreras sinBarreras sinBarr

nglés Inglés Inglés Inglés Inglés Inglés
Barreras sinBarreras sinBarreras sinBarreras sinBarreras sinBarreras si

Inglés Inglés Inglés Inglés Inglés Inglé
ras sinBarreras sinBarreras sinBarreras sinBarreras sinBarreras sinBarr

nglés Inglés Inglés Inglés Inglés Inglés
Barreras sinBarreras sinBarreras sinBarreras sinBarreras sinBarreras si

Inglés Inglés Inglés Inglés Inglés Inglé
ras sinBarreras sinBarreras sinBarreras sinBarreras sinBarreras sinBarr

nglés Inglés Inglés Inglés Inglés Inglés
Barreras sinBarreras sinBarreras sinBarreras sinBarreras sinBarreras si

Inglés Inglés Inglés Inglés Inglés Inglé
ras sinBarreras sinBarreras sinBarreras sinBarreras sinBarreras sinBarr

nglés Inglés Inglés Inglés Inglés Inglés
Barreras sinBarreras sinBarreras sinBarreras sinBarreras sinBarreras si

Inglés Inglés Inglés Inglés Inglés Inglé
ras sinBarreras sinBarreras sinBarreras sinBarreras sinBarreras sinBarr

Inglés sin Barreras®

El Video-Maestro de Inglés Conversacional

7 De compras

Manual

ISBN: 1-59172-299-3
ISBN: 978-1-59172-299-1

I705VM07

Dedicatoria

Dedicamos este curso a todos los hispanos que tomaron la iniciativa de traer el idioma inglés a sus vidas para expandir sus horizontes. Los sueños pueden convertirse en realidad. Con gran respeto y afecto,

Sus amigos de Inglés sin Barreras

Metodología	Center for Applied Linguistics
Texto	Karen Peratt, Cristina Ribeiro
	Center for Applied Linguistics
	International Media Access Inc.
Ilustraciones	Gabriela Cabrera, Linda Beckerman
Diseño gráfico	Magnus Ekelund, Efrain Barrera, bluefisch design
Guión adaptado - inglés	Karen Peratt
Guión adaptado - español	Cristina Ribeiro
Edición	Betsabé Mazzolotti, Horacio Gosparini, Yuri Murúa,
	Damián Quevedo, Mike Ramirez
Aprendamos viajando	Marcos Said, Pablo Moreno, Alfredo León
Aprendamos conversando	Howard Beckerman
	Producción: Heartworks International, Inc.
Música	Erich Bulling
Fotografía	Alejandro Toro, Alfredo León
Producción en línea	Miguel Rueda
Dirección - video	Loretta G. Seyer, Patricio Stark
Coordinación de proyecto	Juliet Flores, Cristina Ribeiro
Dirección de proyecto	Karen Peratt, Arleen Nakama
Directora ejecutiva	Valeria Rico
Productor ejecutivo y director creativo	José Luis Nazar

Índice

Introducción

¡Bienvenido a Inglés sin Barreras!

"El que sabe dos idiomas vale por dos personas."
-José Luis Nazar-

¡Felicitaciones! Usted ha dado el primer paso para aprender inglés. Como en todo viaje que se hace a lo desconocido y para poder llegar al destino final de la manera más placentera posible, usted debe equiparse con un buen mapa y contar con guías experimentados que conozcan a fondo los terrenos y caminos por recorrer. Con **Inglés sin Barreras**, usted tiene en sus manos la mejor guía para aprender este idioma tan valioso y que a la vez genera tanta frustración entre los que no lo hablan. Queremos entonces que **Inglés sin Barreras** sea su compañero y amigo a lo largo de este viaje. Juntos emprenderemos una aventura que le brindará la satisfacción personal de haber cumplido con sus objetivos y que además le proporcionará todas las ventajas y oportunidades de las que goza una persona bilingüe.

Inglés sin Barreras es un programa desarrollado especialmente para las personas de habla española que desean empezar a hablar inglés en su vida cotidiana, ya sea en el hogar o en su trabajo. **Inglés sin Barreras** es el producto de una estrecha colaboración entre educadores norteamericanos y estudiantes hispanos del inglés. Con ellos se determinó cuáles eran esas necesidades de aprendizaje y se diseñaron las lecciones que les enseñasen desde las palabras y frases más elementales hasta llegar a la conversación espontánea y natural.

Inglés sin Barreras no es un programa basado en el aprendizaje de la gramática.

A diferencia de idiomas como el español o el francés, el idioma inglés no posee una institución académica encargada de vigilar y mantener la pureza y corrección del idioma. A raíz de esto, el inglés se ha convertido en un idioma flexible en constante evolución. Las palabras inglesas nacen y mueren según la necesidad de los usuarios del idioma; las estructuras cambian y las expresiones y modismos que se utilizan en cada región a menudo entran a formar parte del idioma, siendo su uso tan correcto como sus alternativas más tradicionales. En el ámbito académico, se utiliza el concepto de "inglés estándar", es decir lo que la comunidad internacional de expertos en el idioma inglés considera como inglés universal y correcto. Generalmente los cursos de inglés se limitan a enseñar inglés estándar, haciendo caso omiso de lo que el estudiante oye en la calle o el trabajo, con la consiguiente frustración que esto puede generar. En **Inglés sin Barreras** hemos hecho un esfuerzo especial por enseñarle un inglés práctico y cotidiano que le permita salir a la calle y desenvolverse en inglés desde el primer momento. **Inglés sin Barreras**, por lo tanto, no es un programa basado en la gramática o una serie de ejercicios lingüísticos. Es una experiencia práctica e informativa que le ayudará a entender y hablar inglés en su vida diaria.

Sin embargo, para aquellos que quisieran aprender y entender mejor las estructuras gramaticales del inglés, les ofrecemos una instancia de consulta en el compendio gramatical Resumen práctico de la gramática inglesa. Es una guía fácil de seguir donde usted puede aclarar dudas y comprender las diferencias entre el nuevo idioma y su lengua nativa, ya que está explicado paso a paso en español. Más adelante, le entregaremos más información sobre cómo usar esta guía gramatical.

Los alumnos en los DVDs de **Inglés sin Barreras** son como usted.

Algunos de ellos no hablan nada de inglés y otros hablan un poco, pero todos ellos, como usted, desean hablar más y mejor inglés. Ellos saben que cometerán errores al principio, pero eso no importa. Lo importante es que sigan hablando y que usted lo haga también. Deje a un lado la vergüenza y poco a poco irá notando que sus errores van disminuyendo.

Las secciones de Inglés sin Barreras

Inglés sin Barreras consta de 12 volúmenes.* Los primeros 10 volúmenes contienen la misma estructura de contenidos, los cuales están basados en temas o aspectos de la vida cotidiana. Le recomendamos también los volúmenes 11 y 12 ya que son un excelente complemento al aprendizaje del idioma. Cada volumen contiene:

- **1 DVD**
- **1 Manual**
- **1 Cuaderno de ejercicios**
- **1 Disco Compacto (CD)**

*El curso compacto de **Inglés sin Barreras** dispone de seis volúmenes.

Veamos ahora en detalle las secciones de **Inglés sin Barreras**.

Las lecciones
Los volúmenes 1 a 10 contienen cuatro lecciones cada uno. Estas cuatro lecciones se dividen en los segmentos siguientes:

1 Vocabulario
Esta sección contiene las palabras y frases que usted debe aprender con respecto al tema de la lección. Continúe usando la sección de vocabulario como referencia mientras estudia las otras secciones en su Manual y su Cuaderno. Tenga en cuenta que esta sección no es como un diccionario que contiene todos los equivalentes posibles para cada palabra en inglés. Sólo contiene aquellas traducciones al español que son apropiadas para la lección.

Otro elemento de ayuda para el aprendizaje del vocabulario lo constituyen las Tarjetas de vocabulario que usted encontrará en su Cuaderno de ejercicios. Estas tarjetas contienen palabras, frases, y oraciones relacionadas con las lecciones de cada volumen. Tienen la versión en inglés al frente y su traducción en el reverso. Usted puede cortarlas y organizarlas ya sea en una carpeta, una caja, o de la manera que usted crea más conveniente. Ellas le ayudarán con la memorización y retención necesaria para que luego usted use estas palabras y frases a medida que avanza en su práctica del inglés. Aumentar diariamente su vocabulario le dará más confianza para expresarse, aún cuando usted esté en una etapa inicial de aprendizaje y cometa algunos errores gramaticales al hablar. Su dominio del vocabulario le ayudará a progresar más rápidamente.

2 Clase

Esta sección es una clase virtual donde los estudiantes practican el vocabulario de cada lección en el contexto de frases y conversaciones en inglés. Escuchar a sus maestros le acostumbrará a los sonidos del inglés y cada vez se le hará más fácil pronunciarlos. Compórtese como si fuera un participante más. Cada vez que los maestros pidan a los alumnos que repitan una palabra, frase u oración, usted debe repetirla también. Cuando pidan a los alumnos que respondan o pregunten algo, usted debe hacerlo como si estuviera en la clase. En los manuales, encontrará un resumen de este segmento, así como su traducción al español.

3 Diálogo

Esta sección contiene un diálogo o conversación entre personas de habla inglesa en la que se emplea el vocabulario y estructuras del material de las lecciones que acaba de estudiar. Cuando vea el diálogo, debería estar lo suficientemente familiarizado con el material como para comprenderlo, pero si necesita ayuda, su manual incluye la transcripción y su traducción al español.

Vea esta sección y asegúrese de que comprende y domina todas las palabras y frases. Participe contestando a las preguntas y comentarios de los actores. Luego, imite su pronunciación e inflexiones en voz alta y trate de practicar estos diálogos con un amigo o familiar que ya sepa inglés o que también lo esté aprendiendo.

Inglés en acción

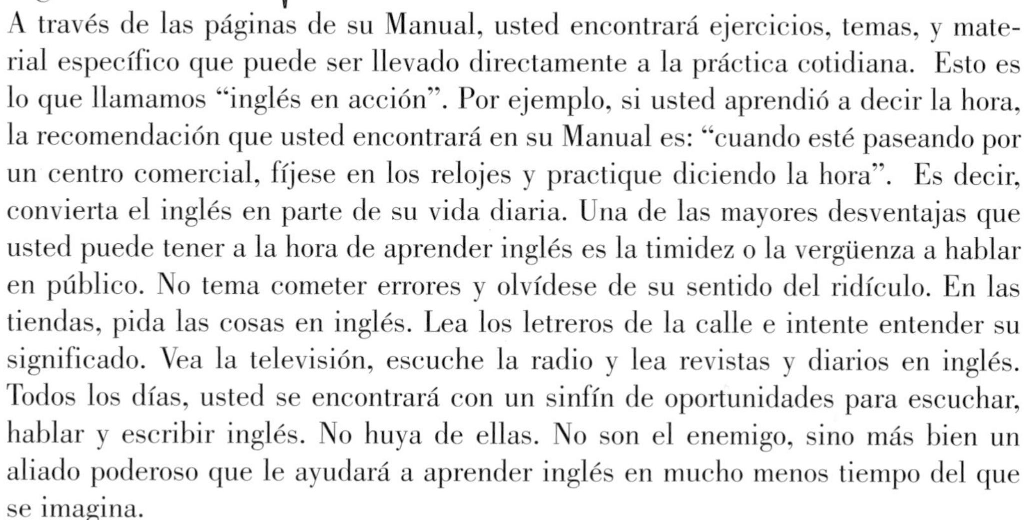

A través de las páginas de su Manual, usted encontrará ejercicios, temas, y material específico que puede ser llevado directamente a la práctica cotidiana. Esto es lo que llamamos "inglés en acción". Por ejemplo, si usted aprendió a decir la hora, la recomendación que usted encontrará en su Manual es: "cuando esté paseando por un centro comercial, fíjese en los relojes y practique diciendo la hora". Es decir, convierta el inglés en parte de su vida diaria. Una de las mayores desventajas que usted puede tener a la hora de aprender inglés es la timidez o la vergüenza a hablar en público. No tema cometer errores y olvídese de su sentido del ridículo. En las tiendas, pida las cosas en inglés. Lea los letreros de la calle e intente entender su significado. Vea la televisión, escuche la radio y lea revistas y diarios en inglés. Todos los días, usted se encontrará con un sinfín de oportunidades para escuchar, hablar y escribir inglés. No huya de ellas. No son el enemigo, sino más bien un aliado poderoso que le ayudará a aprender inglés en mucho menos tiempo del que se imagina.

Lección de pronunciación (Manual y DVD)

Los volúmenes 1 a 10 incluyen además una sección de pronunciación cuyo contenido está basado en la correspondiente lección de vocabulario y la clase. Aprender a pronunciar correctamente los sonidos de un nuevo idioma es un verdadero desafío. Las lecciones de pronunciación son de importancia crítica para mejorar su acento cuando hable en inglés, ya que muchos sonidos e inflexiones de este idioma no existen en español.

Aprendamos viajando (Manual, DVD y CD)

En cada uno de los primeros diez volúmenes de **Inglés sin Barreras** le presentamos un documental filmado en una ciudad de los Estados Unidos. El vocabulario que se utiliza en cada lugar ha sido cuidadosamente seleccionado para ir aumentando paulatinamente su dominio del idioma.

En los manuales, encontrará una transcripción del segmento, así como su traducción al español. La introducción a Aprendamos viajando, que usted encontrará en los volúmenes 1 y 7, contiene instrucciones más detalladas que le indicarán como estudiar con esta sección. Cada CD también contiene el material audio de esta sección.

El objetivo de estas secciones no es que comprenda la totalidad de la narración desde un primer momento, sino que se acostumbre a los sonidos, inflexiones y estructuras de las oraciones del idioma inglés. Al principio, sólo entenderá palabras sueltas, pero poco a poco logrará comprender frases enteras.

Aprendamos cantando (Manual y DVD)
Como ya indicamos anteriormente, el idioma inglés es mucho más que un conjunto de palabras y reglas gramaticales, y donde más se hace aparente es en el lenguaje hablado. El inglés informal contiene expresiones, palabras y frases que no se encuentran en los diccionarios y que resultan esenciales para comunicarse. Un buen ejemplo de ello lo ofrecen las canciones, pues están repletas de modismos, contracciones, abreviaturas y expresiones que sólo se utilizan en el inglés coloquial.

Las canciones que integran esta sección se han seleccionado por su riqueza en este tipo de expresiones. Una vez que haya analizado su contenido y aprendido a cantarlas, no sólo habrá sacado a relucir el artista que hay en su interior, sino que además dominará palabras y frases de uso diario en el inglés hablado que generalmente no se encuentran en el inglés formal escrito, ya sea de un diccionario o texto.

Aprendamos conversando (Manual y CD)
Para que el aprendizaje sea constante y efectivo, **Inglés sin Barreras** debe estar siempre con usted. El CD contiene material auditivo para desarrollar habilidades de comprensión y de práctica oral llamado "Aprendamos conversando", con el cual usted podrá practicar aún cuando no le sea posible leer o mirar la televisión. Aunque las actividades de este CD se pueden hacer sin necesidad de manuales o cuadernos, éstas le permitirán repasar y expandir el uso cotidiano del vocabulario, las estructuras, los diálogos, y la pronunciación demostrada en el video. "Aprendamos conversando" agrega a **Inglés sin Barreras** una nueva dimensión, ya que usted podrá utilizar su sentido auditivo para seguir adquiriendo las habilidades que le permitirán dominar mejor el inglés. En cada CD, encontrará las instrucciones necesarias para practicar el idioma hablado; sin embargo, y si lo desea, también podrá hacer los ejercicios incluidos en los cuadernos.

Preguntas y respuestas (DVD)
En la vida diaria nos encontramos a veces con expresiones, dichos, abreviaturas o palabras cuyo significado no se encuentra fácilmente en los diccionarios. Recibimos muchas cartas de nuestros clientes por este motivo. Queremos compartir sus experiencias con todos ustedes, ya que para dominar el inglés, es indispensable comprender y utilizar estas expresiones. Los DVDs contienen estas preguntas con sus correspondientes respuestas y explicaciones.

Ejercicios interactivos (DVD)
Al final de cada lección, usted encontrará una sección con ejercicios interactivos que simulan actividades de la vida diaria y está basada en el material correspondiente a ese volumen. Le recomendamos altamente realizar estos ejercicios, puesto que le permitirán practicar inglés sin la presión que podría significar el hablarlo en situaciones de la vida real, especialmente en una etapa inicial.

Las secciones de Inglés sin Barreras

El componente principal de **Inglés sin Barreras** son los DVDs. Los manuales y cuadernos de ejercicios deben usarse como un refuerzo para entender y recordar las lecciones de los DVDs. Recuerde que los discos compactos (CDs) le permiten tener acceso al programa todo el tiempo, ya que usted puede seguir estudiando aún cuando no tenga acceso a un reproductor de DVD, pero sí pueda dedicarle unos minutos para seguir escuchando y practicando inglés. Por ejemplo, una forma excelente de estudiar con los CDs es cuando conduce su auto.

No recomendamos establecer planes rigurosos, ya que preferimos que usted mismo se trace su propio plan, uno que sea adecuado a su horario, su forma de vida y su ritmo de aprendizaje. Aprenderá mucho más si estudia 15 minutos al día que si se somete de vez en cuando a largas sesiones. Sin embargo, a modo de sugerencia, le recomendamos que siga los siguientes pasos:

1. Antes de empezar un nuevo volumen y como una forma de monitorear su progreso, asegúrese de tomar el examen inicial que encontrará al comienzo de su Cuaderno de ejercicios.

2. Familiarícese con el contenido. Vea todo el material correspondiente a la sección que desea aprender para que así tenga una idea general de su contenido.

3. Use el DVD. Vea y escuche la lección o un segmento de la lección por lo menos dos veces, y asegúrese de practicar lo aprendido utilizando las actividades interactivas.

4. Consulte su Manual. Vuelva a repasar el mismo segmento, esta vez consultando las páginas correspondientes de su Manual.

5. Preste atención al vocabulario. Saber y utilizar cada día palabras nuevas en inglés le dará confianza en su progreso. Trate de memorizar el vocabulario aprendido usando las tarjetas que se insertan en su Cuaderno de ejercicios.

6. Practique a medida que vaya aprendiendo inglés. Los ejercicios de "inglés en acción" le ayudarán a practicar y a reforzar lo aprendido. Haga un esfuerzo por seguir estos consejos y hablar con sus amigos o compañeros de trabajo y así practicar la pronunciación y aplicar lo que ha aprendido en la vida real. Hablar en

inglés debe ser parte de su vida diaria, y mientras más lo haga, más seguro se sentirá en su nueva identidad de persona bilingüe.

7 Consulte el Resumen práctico de gramática. A medida que avance en la complejidad del nuevo idioma y si desea aprender más sobre estructuras gramaticales o entender mejor los ejercicios, consulte este libro. Usted encontrará en ciertas páginas de su Manual el símbolo que significa "referencia gramatical", con el número de página correspondiente al Resumen que le ayudará con una estructura o punto gramatical específico relacionado con la lección que usted está estudiando, y donde, además de explicarle el punto, le ofrecemos una variedad de ejercicios para reforzar su aprendizaje.

8 Al acabar cada lección, complete las actividades correspondientes en su Cuaderno de ejercicios. Luego, verifique que respondió correctamente en la sección de respuestas. Si falló demasiadas preguntas, quizás sea buena idea repasar la lección con la ayuda de su Manual y video.

9 En aquellos volúmenes que incluyen un examen final, usted encontrará información al término de su Cuaderno de ejercicios sobre qué hacer y cómo enviarnos este examen para que nuestro Servicio de profesores por teléfono puedan evaluar su progreso. Al completar el curso y cuando sienta que ya domina todos sus contenidos, puede tomar una prueba oral. Para más información sobre esta prueba oral, por favor contacte nuestro Servicio de profesores por teléfono.

10 Si usted completó con éxito los primeros diez volúmenes, continúe el perfeccionamiento del idioma con los Volúmenes 11 y 12, los cuales le serán de ayuda incalculable para lograr el éxito que tanto desea para usted y su familia en los Estados Unidos.

Otro recurso para reforzar su aprendizaje del inglés

ISBonline (Inglés sin Barreras en línea)
Este es un nuevo e interesante servicio de **Inglés sin Barreras**, al cual usted puede acceder a través de la página de Internet: ***www.isbonline.com*** y que estamos seguros encontrará de gran ayuda en su empeño por aprender la lengua y la cultura de los Estados Unidos. Es fácil, divertido y pone a su disposición material adicional práctico de aprendizaje, como lecciones, exámenes, charlas, diccionario y ayuda personalizada. En ***Ayuda***, encontrará direcciones de Internet y números gratuitos de asistencia. Las charlas son guiadas por personal del servicio de Profesores por teléfono en dos horarios. Por favor visite nuestra página de Internet para averiguar los horarios de estas charlas. Dentro de la página Lecciones, encontrará los siguientes elementos de aprendizaje:

- la palabra del día
- frase de la semana
- errores más frecuentes
- frase comercial de la semana
- modismo de la semana
- lección de gramática
- evaluaciones o exámenes

Para registrarse, vaya a su página de Internet y escriba en la barra de dirección: ***www.isbonline.com*** Una vez que ingrese a este sitio, busque el vínculo ***Presione Aquí***, que lo llevará al Registro del Usuario. Escriba la información que se le solicita y haga clic en ***Enviar***. Recibirá luego un correo electrónico con un nombre que le servirá de identificación y una contraseña para tener acceso a esta página. Así, cada vez que quiera visitarla, solo tiene que ingresar su identificación y contraseña.

Nota final

Inglés sin Barreras está en constante evolución. Nuestro propósito es ofrecer el mejor producto con el contenido más práctico y adecuado a las necesidades de nuestros clientes. Sus opiniones, comentarios y sugerencias son, por lo tanto, sumamente valiosos y se utilizarán para mejorar futuras ediciones del curso. No dude en contactarnos y contarnos sobre sus experiencias. Simplemente escríbanos a la siguiente dirección, o llámenos y déjenos su mensaje al 1-800-320-9844.

Testimonios
Oficina de servicio al cliente
1140 North 1430 West
Orem, UT 84057

testimonialisb@lexiconmarketing.com

¡Le deseamos mucho éxito!

Lección

1 Notas

Vocabulario 1

Le recomendamos que lea las palabras del vocabulario antes de ver el video correspondiente a esta lección. Éstas son las palabras más importantes de esta lección.

all	*todo, toda, todos, todas*
a few	*unos cuantos, unas cuantas*
a lot of	*mucho, mucha, muchos, muchas*
many	*muchos, muchas*
no	*no*
too many	*demasiados, demasiadas*
nothing	*nada*
some	*algunos, algunas*
several	*varios, varias*
perhaps	*quizás, tal vez*
maybe	*quizás, tal vez*
list	*lista*
general	*general*
specific	*específico(a)*
(to) bring	*traer*
(to) have	*tener*
(to) count	*contar*
shelf	*estantería, estante*
groceries	*comestibles, alimentos*
food	*comida*
fresh	*fresco(a)*

1 Vocabulario

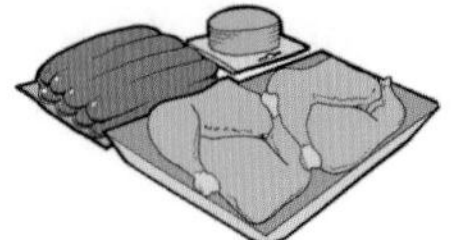

baked goods	*pan y pasteles, repostería*
produce	*frutas y verduras*
fruit	*fruta*
vegetable	*verduras*
dairy	*productos lácteos*
meat	*carne*
seafood	*marisco*
frozen food	*comida congelada*
snacks	*refrigerio, tentempié, aperitivo*
grain	*trigo*
cereal	*cereales*
canned	*en lata, enlatado*
flower	*flor*

Más vocabulario

apple	*manzana*
avocado	*aguacate*
beans	*frijoles*
banana	*plátano, banana*
green beans	*ejotes, habichuelas*
carrot	*zanahoria*
cherry	*cereza*
grapes	*uvas*
lemon	*limón*
lime	*lima*
onion	*cebolla*
orange	*naranja*
peach	*durazno, melocotón*
pear	*pera*
peas	*guisantes, chícharos*

green pepper	*pimiento verde*
chili pepper	*chile*
pineapple	*piña*
potato	*papa, patata*
tomato	*tomate*
strawberry	*fresa*
world	*mundo*
hamburger	*hamburguesa*
vegetarian	*vegetariano(a)*

Elementos esenciales

Esta sección destaca los elementos básicos de esta lección. Lea detenidamente lo que incluimos en ella.

too many | all | a lot of | several | some | a few

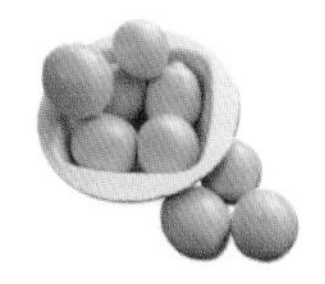

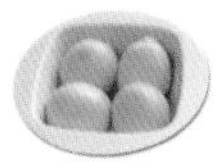

general =	fruit	general =	vegetable
general	*fruta*	*general*	*verdura*
specific =	pear	specific =	carrot
específico	*pera*	*específico*	*zanahoria*

adjetivos, pg. 25

1 Vocabulario

Aprenda y practique

Le recomendamos que aprenda las expresiones y oraciones que se incluyen en esta lección. Practique lo aprendido cada día.

grocery store	*tienda de comestibles* *tienda de alimentación*
produce	*frutas y verduras*
baked goods	*repostería, pan y pasteles*
frozen food	*comida congelada*
meat and seafood	*carne, pescado y marisco*
dairy	*productos lácteos*
snacks	*refrigerio, tentempié, aperitivo*
cereal and grains	*cereales*
flowers	*flores*

Busque un aviso del supermercado local que tenga fotos de frutas y vegetales y vaya al supermercado de su área. Trate de identificar las diferentes frutas y vegetales - si se le olvida algún nombre, ¡simplemente pregunte!

Apuntes

"Maybe" y "perhaps"

Las palabras **maybe** y **perhaps** indican posibilidad.

Maybe they are talking about the refrigerator.
(Or, maybe they are not.)
Quizás estén hablando del refrigerador.
(O quizás no.)

Perhaps you are right.
(Or, perhaps you are not right.)
Tal vez tengas razón.
(O tal vez no tengas razón.)

Muchas veces, se utiliza **maybe** y **perhaps** cuando no se está seguro de lo que se va a hacer en el futuro. Al incluir estas palabras en una oración, no descartamos ninguna posibilidad en relación con acciones futuras.

Maybe I will go to the party.
Quizás vaya a la fiesta.

Maybe I will take the bus to work tomorrow.
Quizás tome el autobús mañana para ir al trabajo.

La tienda de alimentación

Una tienda de alimentación está generalmente organizada por grupos de alimentos tales como las frutas y verduras o los productos lácteos. Los grupos principales son: frutas y verduras, carne, pescado y marisco, repostería, productos enlatados, comidas congeladas, productos lácteos, cereales, refrigerios y bebidas.

Hay una sección de productos enlatados que incluye, por ejemplo, el maíz en lata o la salsa de tomate. Los productos embotellados están generalmente en la misma sección. Las comidas congeladas se colocan en una sección especial de la tienda; en ella encontrarán el helado y las comidas preparadas congeladas. También hay un estante de legumbres y cereales.

Frutas y verduras

En esta lección, se presentó un número limitado de frutas y verduras. Todas ellas se pueden contar: una manzana, dos manzanas, tres manzanas. En la próxima lección, presentaremos los nombres de las frutas y verduras que no se pueden contar.

vegetables	*verduras*
avocado	*aguacate*
green beans	*ejotes, habichuelas*
carrot	*zanahoria*
onion	*cebolla*
peas	*guisantes, chícharos*
green pepper	*pimiento verde*
chili pepper	*chile*

fruit	*fruta*
cherry	*cereza*
lemon	*limón*
lime	*lima*
apple	*manzana*
peach	*durazno*
pear	*pera*
pineapple	*piña*
grapes	*uvas*
strawberries	*fresas*

¿Qué otras frutas y verduras conoce usted? Si no sabe los nombres en inglés, búsquelos en el diccionario.

¿Sabe usted por qué hay nombres de frutas y verduras que se usan casi siempre en plural, como los chícharos o las fresas? ¡Pues, porque casi nunca comemos un solo chicharro o una sola fresa!

(to) spill the beans

"Derramar los frijoles" se utiliza para decir que alguien divulgó un secreto.

— How did your wife find out that you were going to give her a new car for Chrismas?
— My son! He was so excited that he spilled the beans!

— *¿Cómo supo tu esposa que le ibas a regalar un auto nuevo para Navidad?*
— *¡Fue mi hijo! ¡Estaba tan emocionado que reveló el secreto!*

1 Clase

Cosas que se pueden contar

Estos sustantivos se pueden poner en plural. También pueden asociarse a un artículo indefinido **(a** o **an)**. Y se pueden asociar con números: uno, dos, diez, etc.

cosas que se pueden contar	*a/an*	*forma plural*	*números*
banana *banana*	a banana *una banana*	bananas *bananas*	3 bananas *3 bananas*
apple *manzana*	an apple *una manzana*	apples *manzanas*	9 apples *9 manzanas*
orange *naranja*	an orange *una naranja*	oranges *naranjas*	4 oranges *4 naranjas*
carrot *zanahoria*	a carrot *una zanahoria*	carrots *zanahorias*	2 carrots *2 zanahorias*

How many? (¿Cuántos? ¿Cuántas?) se usa para preguntar acerca de las cosas que se pueden contar.

How many bananas are on the table?
¿Cuántas bananas hay en la mesa?
How many strawberries do we need?
¿Cuántas fresas necesitamos?

nombres contables, pg. 12

Además de los números, hay muchas expresiones de cantidad que se utilizan con las cosas que se pueden contar.

too many	many	a lot of	some	several	a few
demasiados	*muchos*	*mucho*	*algunos*	*varios*	*unos cuantos*

Formas de contar específicas o indeterminadas

Usamos **a** y **an** con las cosas que se pueden contar cuando nos referimos a una sola cosa.

I ate a banana for lunch.
Yo almorzé un plátano.

Did you bring an orange today?
¿Has traído una naranja hoy?

Usamos **the** con las cosas que se pueden contar cuando nos referimos a cosas específicas.

I ate the banana you gave me.
Me comí la banana que tú me diste.

Did you eat the big orange or the small orange?
¿Te comiste la naranja grande o la pequeña?

expresiones de cantidad, pg. 27

Many, some, several, a few y **a lot of** se usan con dos o más cosas que se puede contar.

Please buy some carrots.
Por favor, compra zanahorias.

There are a lot of strawberries in the refrigerator.
Hay muchas fresas en el refrigerador.

We have a few apples.
Tenemos unas cuantas manzanas.

Plurales irregulares

Ciertos nombres de frutas y verduras tienen plurales irregulares.

tomato	tomatoes	potato	potatoes
tomate	*tomates*	*papa*	*papas*

"To have" y "to eat"

En el diálogo, Tom dice, **I'll have a banana. What will you have for lunch?** En estas oraciones, **have** significa "comer". "Comeré una banana. ¿Qué comerás tú?"

Diálogo 1

Éste es el texto completo del diálogo incluido en el video. Usted hará el papel del espectador **(viewer)**. Si le hacen una pregunta personal, conteste usando información personal. Tenga en cuenta que las respuestas del espectador que le proporcionamos no son las únicas respuestas correctas.

El almuerzo

Amy
Tom?
¿Tom?

Tom
I'm thinking about lunch. I'm hungry.
Estoy pensando en el almuerzo. Tengo hambre.

Amy
What are you going to eat for lunch?
How about a hamburger?
¿Qué vas a almorzar?
¿Qué tal una hamburguesa?

Tom
No! I'm a vegetarian.
¡No! Soy vegetariano.

Amy
You are?
¿De verdad?

Tom
Yes, I eat only fruit and vegetables.
Sí, sólo como frutas y verduras.

Amy
Really? What will you eat for lunch?
¿De verdad? ¿Qué vas a almorzar?

1 Diálogo

Tom	Well, I'll eat some carrots and a potato. Maybe I'll have some beans, too. *Bueno, comeré zanahorias y una patata.* *Quizás coma frijoles también.*
Amy	Will you eat any fruit? *¿Comerás fruta?*
Tom	Of course! I'll have a banana and a few strawberries. *¡Por supuesto! Comeré una banana y unas cuantas fresas.*
Amy	Hmmmm. Now I'm hungry, too! What will you have for lunch? *Mmmmm. ¡Ahora tengo hambre yo también!* *¿Qué va a almorzar usted?*
Viewer *(Usted)*	I'll have____________. *Yo comeré*____________.

Amy	I think I'll go to Sue's Coffee House. Do you want to come with me? *Creo que iré a Sue's Coffee House.* *¿Quiere venir conmigo?*
Viewer *(Usted)*	Yes, thank you./No, thank you. *Sí, gracias. / No, gracias.*
Amy	How about you, Tom? *¿Y tú, Tom?*
Tom	No. Thanks, though. I brought my lunch. *No. Gracias de todas maneras. Traje mi almuerzo.*

puppy love

Su traducción literal es "amor de cachorros". Se refiere a los primeros amores de juventud.

— Mariah seems to be seriously in love with Jeff.
— She's so young. It's just puppy love.

— *Parece que Mariah está realmente enamorada de Jeff.*
— *Es tan joven. Sólo es un amor juvenil.*

Notas

Lección

Notas

Vocabulario 2

Le recomendamos que lea las palabras del vocabulario antes de ver el video correspondiente a esta lección. Éstas son las palabras más importantes de esta lección.

too much	*demasiado(a)*
a little	*un poco*
any	*cualquier*
only	*sólamente, sólo*
dozen	*docena*
egg	*huevo*
ice cream	*helado*
yogurt	*yogur*
cheese	*queso*
milk	*leche*
margarine	*margarina*
butter	*mantequilla*
meat	*carne*
ham	*jamón*
beef	*carne de res*
pork	*carne de cerdo*
chicken	*pollo*
lamb	*cordero*
hot dog	*perrito caliente*
sausage	*salchicha*
turkey	*pavo*
bacon	*tocino*

2 Vocabulario

fish	*pescado*
seafood	*marisco*
shrimp	*camarón, gamba*
rice	*arroz*
pasta	*pasta*
cookie	*galleta*
bread	*pan*

Más vocabulario

non-count noun	*cosas que no se pueden contar*
clue	*pista, clave*

Elementos esenciales

Esta sección destaca los elementos básicos de esta lección. Lea detenidamente lo que incluimos en ella.

too much	a lot of	some	a little	no
demasiado	*mucho*	*algo de*	*un poco*	*no, nada*

The grass is always greener on the other side.

"El césped del vecino siempre se ve más verde" se refiere a la idea falsa de que lo que tienen los demás es siempre mejor que lo nuestro.

— I envy my sister. She works only two days a week, goes on lots of vacations and lives a carefree, single life.
— The grass is always greener on the other side of the fence. Your sister has no money, lots of debt, and no family of her own.

— *Envidio a mi hermana. Sólo trabaja dos días por semana, toma muchas vacaciones y vive una vida de soltera sin preocupaciones.*
— *El césped del vecino siempre se ve más verde. Tu hermana no tiene dinero, tiene muchas deudas y no tiene familia propia.*

expresiones de cantidad, pg. 27

Apuntes

Pasillos de la tienda de comestibles

Las secciones de carne, pescado y mariscos, y de productos lácteos se encuentran en todas las tiendas de alimentación. ¿Cuáles son los alimentos que se incluyen en cada una de estas secciones?

Meat *Carne*

pork *carne de cerdo*	bacon *tocino*	ham *jamón*	sausage *salchicha*
beef *carne de res*	hamburger *hamburguesa*	steak *bistec*	chicken *pollo*
turkey *pavo*	lamb *cordero*		

Seafood *Pescado y marisco*

shrimp *camarones*	fish *pescado*	salmon *salmón*

Dairy *Productos lácteos*

cheese *queso*	milk *leche*	margarine *margarina*
eggs *huevos*	butter *mantequilla*	yogurt *yogur*

Cosas que no se pueden contar

Las cosas que no se pueden contar se refieren a un grupo o a una categoría, en vez de a un elemento individual. No se pueden utilizar palabras tales como **a, an** o números delante de las cosas que no se pueden contar. Además, estos nombres no tienen forma plural.

food	*comida*
rice	*arroz*
bread	*pan*
cheese	*queso*
milk	*leche*
water	*agua*
meat	*carne*
seafood	*marisco*
fish	*pescado*
beef	*carne de res*
pork	*carne de cerdo*
chicken	*pollo*

Si usted no puede recordar cuando un nombre es contable o no contable, recuerde que con los nombres no contables se pueden usar las expresiones de cantidad **much** o **a lot** (mucho, un montón). Practique diciendo: **much money- a lot of money, much sugar- a lot of sugar, not much coffee or not a lot of coffee.** (mucho dinero-un montón de dinero, mucha azúcar-un montón de azúcar, no mucho café-no mucho café)

nombres no contables, pg. 12

Las cosas que no se pueden contar no incluyen sólamente productos alimenticios.

weather	*clima*
wood	*madera*
money	*dinero*
furniture	*muebles*
work	*trabajo*
information	*información*

How much? Se utiliza para determinar la cantidad de cosas que no se pueden contar.

How much bread did you buy?
¿Cuánto pan compraste?
How much milk do we need?
¿Cuánta leche necesitamos?

Además, hay expresiones de cantidad que se usan con nombres que se pueden contar.

too much	a lot of	some	a little	no
demasiado(a)	*mucho(a)*	*algo de*	*un poco*	*no/nada*

They bought too much bread.
Ellos compraron demasiado pan.

She has a lot of cheese.
Ella tiene mucho queso.

I ate some rice for lunch.
Yo comí algo de arroz en el almuerzo.

We need a little meat.
Necesitamos un poco de carne.

There is no beef in the refrigerator.
No hay carne de res en el refrigerador.

Al hablar de cosas que no se pueden contar, debe usar la forma singular del verbo.

There is milk in the refrigerator.
Hay leche en el refrigerador.

The cheese was delicious.
El queso estaba delicioso.

"Any"

Any es similar a **some**. **Any** se refiere a una cantidad indeterminada. **Some** se usa en oraciones afirmativas y en ofrecimientos y peticiones.

We have some milk in the refrigerator.
Tenemos algo de leche en el refrigerador.

Would you like some ice cream?
¿Quieres helado?

Can we have some cookies?
¿Podemos comer algunas galletas?

expresiones de cantidad, pg. 27

Any se usa en oraciones negativas y en preguntas a las que se contesta diciendo "sí" o "no".

We don't have any milk in the refrigerator.
No tenemos leche en el refrigerador.

Do we have any cookies?
¿Tenemos galletas?

Some y **any** se usan con ambos grupos de palabras: las cosas que se pueden contar y las cosas que no se pueden contar.

Cosas que se pueden contar y cosas que no se pueden contar.

Ciertas palabras se usan para hablar de cosas que se pueden contar y de cosas que no se pueden contar. Cuando **chicken** (pollo) se refiere a un tipo de carne, entonces es una cosa que no se puede contar; cuando se refiere a un animal, **a chicken** (un pollo), entonces es una cosa que se puede contar.

I saw three chickens outside the grocery store.
Vi tres pollos fuera de la tienda de comestibles.
We bought too much chicken at the grocery store.
Compramos demasiado pollo en la tienda de comestibles.

My brother ate ten sausages for breakfast!
¡Mi hermano desayunó diez salchichas!
I hate sausage!
¡Odio las salchichas!

Medidas especiales

Hay palabras que expresan cantidad y que se asocian a alimentos específicos. Éstas son las de uso más frecuente.

cup *taza*	3 cups of coffee *3 tazas de café*
glass *vaso*	a glass of water *un vaso de agua*
slice *rodaja*	two slices of bread *dos rodajas de pan*
piece *trozo*	a piece of cake *un trozo de pastel*
loaf *barra*	a loaf of bread *una barra de pan*
pound *libra*	a pound of hamburger *una libra de hamburgesa*
carton *cartón*	four cartons of orange juice *cuatro cartones de jugo de naranja*
gallon *galón*	two gallons of milk *dos galones de leche*
half-gallon *medio galón*	a half-gallon of milk *medio galón de leche*

> Estas medidas pueden usarse en plural.
> **Dozen** (docena) es también otra palabra que expresa cantidad.
> Please buy a dozen eggs.
> Compra una docena de huevos, por favor.
> Pero **dozen** no tiene forma plural:
> Please buy two dozen eggs.
> Compra dos docenas de huevos, por favor.

2 Diálogo

Éste es el texto completo del diálogo incluido en el video. Usted hará el papel del espectador (viewer). Si le hacen una pregunta personal, conteste usando información personal. Tenga en cuenta que las respuestas del espectador que le proporcionamos no son las únicas respuestas correctas.

La lista de la compra

Amy	I need to make a grocery list before we go. *Tengo que hacer la lista de la compra antes de salir.*
Bill	I'll help. Tell me what we need. I'll make the list. *Te ayudaré. Dime qué necesitamos. Yo haré la lista.*
Amy	Well, we need some fresh vegetables. *Bueno, necesitamos verduras frescas.*
Bill	Let's get some carrots. *Compremos algunas zanahorias.*
Amy	OK, and we need a few potatoes, too. *Está bien, y también necesitamos unas cuantas papas.*
Bill	How about some fruit? *¿Qué tal algo de fruta?*
Amy	No, we have a lot of fruit. We have several pears, and some apples, and a lot of strawberries. *No, tenemos mucha fruta.* *Tenemos varias peras, algunas manzanas y muchas fresas.*

Bill	Do we have any eggs? *¿Tenemos huevos?*
Viewer *(Usted)*	No, you don't. *No.*
Amy	Hmm... Let's get a dozen eggs. We have some chicken. *Mmm... Compremos una docena de huevos.* *Tenemos pollo.*
Bill	Let's get some beef. *Compremos carne de res.*
Amy	OK. *Muy bien.*
Bill	Anything else? *¿Algo más?*
Amy	We don't have any rice. *No tenemos arroz.*
Bill	Do we need pasta? *¿Necesitamos pasta?*
Viewer *(Usted)*	No, you have too much pasta. *No, tienen demasiada pasta.*

2 Diálogo

Amy	We have too much pasta. *Tenemos demasiada pasta.*
Bill	Can we get some cookies, too? *¿También podemos comprar galletas?*
Amy	Sure. We'll get some cookies. *Claro. Compraremos galletas.*
Bill	Great! Let's go! *¡Estupendo! ¡Vamos!*

Lección

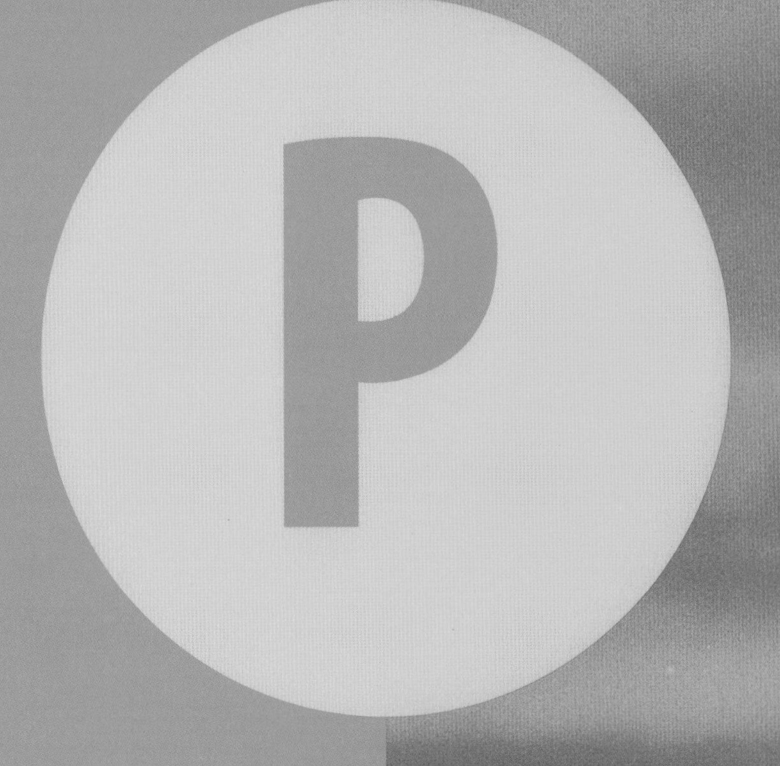

Notas

Apuntes

Al aprender un idioma, es importante que sepamos expresar que no entendemos lo que alguien nos ha dicho. En inglés, la pregunta **What?** es informal y hasta puede resultar grosera.

Es mejor pedir una aclaración usando una oración completa que empiece con una expresión cortés, tal como:

Excuse me, what did you say?	*Discúlpeme, ¿qué dijo usted?*
Excuse me, can you repeat that?	*Discúlpeme, ¿puede repetirlo?*

Es posible que la persona nos conteste repitiendo la misma oración exactamente de la misma manera. Si seguimos sin entender, hay otras alternativas. Podemos pedir una aclaración haciendo preguntas específicas.

Did you say that you will be here tomorrow?
¿Dijo usted que estará aquí mañana?

Did you say that you will be here tomorrow or that you won't be here tomorrow?
¿Dijo usted que estará aquí mañana o que no estará aquí mañana?

What did you say about tomorrow?
¿Qué dijo usted respecto a mañana?

3 Notas

Lección

3 Notas

Vocabulario 3

Le recomendamos que lea las palabras del vocabulario antes de ver el video correspondiente a esta lección. Éstas son las palabras más importantes de esta lección.

(to) wear	*vestir, llevar*
(to) compare	*comparar*
(to) get ready	*arreglarse*
clothes	*ropa*
blouse	*blusa*
dress	*vestido*
jacket	*chaqueta*
jeans	*pantalones tejanos, pantalones vaqueros*
pajamas	*pijama*
pants	*pantalones*
raincoat	*impermeable*
sandals	*sandalias*
shirt	*camisa*
shoes	*zapatos*
socks	*calcetines*
shorts	*pantalones cortos*
skirt	*falda*
sneakers	*zapatillas de deporte*
socks	*calcetines*
T-shirt	*camiseta*
tennis shoes	*zapatillas de tenis*
pair	*par*

3 Vocabulario

less	*menos*
more	*más*
than	*que*
bigger	*más grande*
smaller	*más pequeño(a)*
newer	*más nuevo(a)*
older	*más viejo(a)*
nicer	*más bonito(a)*
uglier	*más feo(a)*
longer	*más largo(a)*
shorter	*más corto(a)*

Más vocabulario

comparative adjective *adjetivo comparativo*

Elementos esenciales

Esta sección destaca los elementos básicos de esta lección. Lea detenidamente lo que incluimos en ella.

This vest is newer than that one.
Este chaleco es más nuevo que aquél.

The red jacket is more expensive than the black jacket.
La chaqueta roja es más cara que la negra.

Aprenda y practique

Le recomendamos que aprenda las expresiones y oraciones que se incluyen en esta lección. Practique lo aprendido cada día.

old *viejo(a)*	older *más viejo(a)*
new *nuevo(a)*	newer *más nuevo(a)*
long *largo(a)*	longer *más largo(a)*
short *corto(a)*	shorter *más corto(a)*
small *pequeño(a)*	smaller *más pequeño(a)*
nice *fino(a)/delicado(a)*	nicer *más fino(a)/delicado(a)*
cute *lindo(a)*	cuter *más lindo(a)*
big *grande*	bigger *más grande*

adjetivo, caso comparativo, pg. 25

fat *gordo(a)*	fatter *más gordo(a)*
thin *delgado(a)*	thinner *más delgado(a)*
ugly feo*(a)*	*uglier* *más feo(a)*
pretty lindo*(a)*	*prettier* *más lindo(a)*

beautiful *hermoso(a)*	more beautiful *más hermoso(a)*	less beautiful *menos hermoso(a)*
interesting *interesante*	more interesting *más interesante*	less interesting *menos interesante*
important *importante*	more important *más importante*	less important *menos importante*

(to) give you the shirt off his back

"Dar la camisa que se lleva puesta" es su traducción literal. Se utiliza esta expresión para describir a una persona muy generosa.

Bob is so generous, he'd give you the shirt off his back.

Bob es tan generoso que te daría hasta lo que lleva puesto.

Apuntes

Cómo comparar cosas

En inglés, hay un modelo de oración que sirve para comparar dos cosas. La oración se forma colocando la palabra **than** después del adjetivo, separando así las cosas que se están comparando.

Alejandro's T-shirt is newer **than** Cesar's T-shirt.
La camiseta de Alejandro es más nueva que la camiseta de César.

Alejandro's T-shirt is bigger **than** Cesar's T-shirt.
La camiseta de Alejandro es más grande que la camiseta de César.

Si los elementos que se están comparando ya se han mencionado, el segundo elemento puede omitirse.

Alejandro's T-shirt is newer.
La camiseta de Alejandro es más nueva.

Alejandro's T-shirt is bigger.
La camiseta de Alejandro es más grande.

conjunciones para comparar, pg. 89

Cómo formar un adjetivo comparativo

Para formar adjetivos comparativos, se han de seguir ciertas reglas.

Si el adjetivo tiene una sílaba y dos consonantes al final: añada **er**

old *viejo(a)*	older *más viejo(a)*
small *pequeño(a)*	smaller *más pequeño(a)*

Si el adjetivo tiene una sílaba y termina en **e**: añada una **r**

nice *fino(a)*	nicer *más fino(a)*
wise *sabio(a)*	wiser *más sabio(a)*
cute *lindo(a)*	cuter *más lindo(a)*

adjetivo, caso comparativo, pg. 25

Si el adjetivo tiene una sílaba y termina en vocal + consonante: duplique la consonante y añada **er**.

big	bigger
grande	*más grande*
fat	fatter
gordo(a)	*más gordo(a)*
thin	thinner
delgado(a)	*más delgado(a)*

Si el adjetivo tiene dos o más sílabas y termina en **y**, cambie la **y** por **i** y añada **er**.

ugly	uglier
feo(a)	*más feo(a)*
pretty	prettier
bonito(a)	*más bonito(a)*
funny	funnier
gracioso(a)	*más gracioso(a)*

Adjetivos más largos

Si el adjetivo tiene dos o más sílabas, se coloca la palabra **more** delante del adjetivo para formar la comparación.

beautiful	more beautiful
hermoso(a)	*más hermoso(a)*
important	more important
importante	*más importante*
convenient	more convenient
práctico(a)	*más práctico(a)*

Para hacer una comparación negativa, se coloca la palabra **less** delante del adjetivo.

beautiful	less beautiful
hermoso(a)	*menos hermoso(a)*
important	less important
importante	*menos importante*
convenient	less convenient
práctico(a)	*menos práctico(a)*

Comparativos irregulares

Dos adjetivos importantes, **good** (bueno) y **bad** (malo), tienen formas comparativas irregulares; no siguen las reglas descritas anteriormente.

good	better
bueno(a)	*mejor*
bad	worse
malo(a)	*peor*

My mother's cooking is better than my cooking.
La comida que cocina mi madre es mejor que la que cocino yo.
The green apple tastes worse than the red one.
La manzana verde sabe peor que la roja.

adjetivo, caso comparativo, pg. 25

"A little"

A little (un poco) se usa con frecuencia delante de adjetivos comparativos.

His coat is a little nicer than mine.
Su abrigo es un poco más fino que el mío.
Sandy is a little taller than Kate.
Sandy es un poco más alta que Kate.

La ropa

A veces, las prendas de vestir pueden tener nombres diferentes.

pants
Esta palabra incluye todo tipo de pantalones.

slacks
Esta palabra se refiere a pantalones de vestir.

trousers
Esta palabra indica únicamente pantalones de caballero.

jeans
pantalones tejanos o vaqueros de algodón o mezclilla

shirt
Esta palabra incluye todo tipo de camisas. También se refiere a un tipo de camisa específico, generalmente con cuello.

3 Clase

blouse
Sólo se usa para las prendas de señora y suelen ser blusas de vestir.

T-shirt
Es una camisa de algodón sin cuello, una prenda de vestir informal.

turtleneck
suéter de cuello alto

coat
Esta palabra se refiere a todo tipo de abrigos

jacket	*chaqueta*
ski jacket	*chaqueta de esquí*
raincoat	*impermeable*

shoes
zapatos

sneakers	*zapatillas*
athletic shoes	*zapatillas de deporte*
tennis shoes	*zapatillas de tenis*
athletic shoes	*zapatillas de deporte*
sandals	*sandalias*
high heels	*zapatos de tacón*
pairs	*pares*

Algunas prendas de vestir vienen en pares, como por ejemplo, los zapatos, los calcetines y los pantalones.

I bought a new pair of shoes.
Me compré un par de zapatos nuevos.

Do you have two green pairs of socks?
¿Tienes dos pares de calcetines verdes?

I can't find my black pair of pants.
No puedo encontrar mis pantalones negros.

Haga dos columnas en un pedazo de papel. En una columna escriba nombres contables y en la otra nombres no contables. Identifique en una revista de modas algunas piezas de ropa y zapatos y escriba sus nombres en la columna que corresponda. Este ejercicio también le ayudará a practicar la escritura correcta de palabras en inglés.

3 Diálogo

Éste es el texto completo del diálogo incluido en el video. Usted hará el papel del espectador (**viewer**). Si le hacen una pregunta personal, conteste usando información personal. Tenga en cuenta que las respuestas del espectador que le proporcionamos no son las únicas respuestas correctas.

Preparándose para la fiesta

Ann	Hey, Leslie. *Eh, Leslie.*
Leslie	Hi, Ann. I don't know what to wear to the party. *Hola, Ann. No sé qué ponerme para la fiesta.*
Ann	Well, I'll help! Let's look at your clothes. *Bueno, ¡yo te ayudaré! Echemos un vistazo a tu ropa.*
Leslie	That's a nice jacket. It's nicer and newer than my jacket. *Ésa es una chaqueta bonita.* *Es más fina y más nueva que mi chaqueta.*
Viewer *(Usted)*	Oh, thank you. *Oh, gracias.*
Leslie	I want to wear this shirt. What can I wear with it? *Quiero ponerme esta camisa.* *¿Qué puedo ponerme con ella?*

Viewer *(Usted)*	How about ___________? *¿Qué le parece________?*
Leslie	Hmmm… *Mmmm...*
Ann	Hey, I like this skirt! You can wear this. *¡Eh, me gusta esta falda! Puedes ponerte ésta.*
Leslie	No, it's too short. *No, es demasiado corta.*
Ann	How about this one? *¿Y qué tal ésta?*
Leslie	No! It's shorter than this one! What are you wearing to the party? *¡Es más corta que ésta!* *¿Qué te vas a poner para la fiesta?*
Viewer *(Usted)*	I'm wearing ___________. *Me voy a poner________.*
Ann	I'm wearing jeans. Do you want to wear jeans? *Me voy a poner pantalones vaqueros.* *¿Quieres ponerte pantalones vaqueros?*
Leslie	Maybe. *Tal vez.*

3 Diálogo

Ann	You can wear this blouse with the jeans. *Puedes ponerte esta blusa con los vaqueros.*
Leslie	I think I like this shirt. *Creo que me gusta esta camisa.*
Ann	Maybe, but I think you will look more beautiful wearing this blouse. *Tal vez, pero creo que te verás más hermosa si te pones esta blusa.*
Leslie	OK. I'll wear that blouse and the jeans. Thanks. *Está bien. Me pondré esa blusa y los pantalones vaqueros. Gracias.*

Lección

Notas

Vocabulario 4

Le recomendamos que lea las palabras del vocabulario antes de ver el video correspondiente a esta lección. Éstas son las palabras más importantes de esta lección.

belt	*cinturón*
hat	*sombrero*
boot	*bota*
coat	*abrigo*
sweater	*suéter, jersey*
tie	*corbata*
watch	*reloj de pulsera*
scarf	*pañuelo, bufanda*
turtleneck	*cuello alto*
vest	*chaleco*
better	*mejor*
best	*el/la mejor*
worse	*peor*
worst	*el/la peor*
least	*el/la menos*
most	*el/la más*
colorful	*con colorido*
expensive	*caro(a)*
cheap	*barato(a)*
cheaper	*más barato(a)*
cheapest	*el/la más barato(a)*

biggest	*el/la más grande*
longest	*el/la más largo(a)*
shortest	*el/la más corto(a)*
smallest	*el/la más pequeño(a)*
ugliest	*el/la más feo(a)*
oldest	*el/la más viejo(a)*
newest	*el/la más nuevo(a)*

Más vocabulario

superlative adjective	*adjetivo superlativo*
circled	*rodeado(a) con un círculo*
opposite	*opuesto(a), contrario*
group	*grupo*

Elementos esenciales

Esta sección destaca los elementos básicos de esta lección. Lea detenidamente lo que incluimos en ella.

This coat is newer than that one.
Este abrigo es más nuevo que ése.
This coat is the newest.
Este abrigo es el más nuevo.

The red jacket is more expensive than the black jacket.
La chaqueta roja es más cara que la chaqueta negra.
The green jacket is the most expensive.
La chaqueta verde es la más cara.

adjetivo, caso superlativo, pg. 25

Aprenda y practique

Le recomendamos que aprenda las expresiones y oraciones que se incluyen en esta lección. Practique lo aprendido cada día.

old *viejo(a)*	older *más viejo(a)*	the oldest *el/la más viejo(a)*
new *nuevo(a)*	newer *más nuevo(a)*	the newest *el/la más nuevo(a)*
long *largo(a)*	longer *más largo(a)*	the longest *el/la más largo(a)*
short *corto(a)*	shorter *más corto(a)*	the shortest *el/la más corto(a)*
small *pequeño(a)*	smaller *más pequeño(a)*	the smallest *el/la más pequeño(a)*
nice *fino(a)*	nicer *más fino(a)*	the nicest *el/la más fino(a)*
cute *lindo(a)*	cuter *más lindo(a)*	the cutest *el/la más lindo(a)*
big *grande*	bigger *más grande*	the biggest *el/la más grande*

4 Vocabulario

fat
gordo(a)

fatter
más gordo(a)

the fattest
el/la más gordo(a)

thin
delgado(a)

thinner
más delgado(a)

the thinnest
el/la más delgado(a)

ugly
feo(a)

uglier
más feo(a)

the ugliest
el/la más feo(a)

pretty
bonita

prettier
más bonita

the prettiest
la más bonita

beautiful
hermoso(a)

more beautiful
más hermoso(a)

the most beautiful
el/la más hermoso(a)

interesting
interesante

more interesting
más interesante

the most interesting
lo más interesante

important
importante

more important
más importante

the most important
lo más importante

less beautiful
menos hermoso(a)

the least beautiful
el/la menos hermoso(a)

less interesting
menos interesante

the least interesting
el/la menos interesante

less important
menos importante

the least important
el/la menos importante

Apuntes

Adjetivos superlativos

Los adjetivos superlativos sirven para comparar más de dos cosas.

She is the most beautiful girl.
Ella es la niña más hermosa.

Is she the most beautiful girl in the world?
¿Es ella la niña más hermosa del mundo?

I don't know. She is the most beautiful girl in our class.
No lo sé. Ella es la niña más hermosa de nuestra clase.

Para formar adjetivos superlativos, se deben seguir las reglas siguientes.

La palabra **the** debe colocarse delante de todos los adjetivos superlativos.

Si los adjetivos tienen una sílaba y terminan en dos consonantes: agregue **est**.

old	the oldest
viejo(a)	*el/la más viejo(a)*
small	the smallest
pequeño(a)	*el/la más pequeño(a)*
new	the newest
nuevo(a)	*el/la más nuevo(a)*

adjetivo, caso superlativo, pg. 25

Si el adjetivo tiene una sílaba y termina en **e**: agregue **st**.

nice	the nicest
fino(a)	*el/la más fino(a)*
wise	the wisest
sabio(a)	*el/la más sabio(a)*
cute	the cutest
lindo(a)	*el/la más lindo(a)*

Si el adjetivo tiene una sílaba y termina en vocal+consonante: duplique la consonante y agregue **est**.

big	the biggest
grande	*el/la más grande*
fat	the fattest
gordo(a)	*el/la más gordo(a)*
thin	the thinnest
delgado(a)	*el/la más delgado(a)*

Si el adjetivo tiene dos o más sílabas y termina en **y**: cambie la **y** por **i** y agregue **est**.

ugly	the ugliest
feo(a)	*el/la más feo(a)*
pretty	the prettiest
lindo(a)	*el/la más lindo(a)*
funny	the funniest
gracioso(a)	*el/la más gracioso(a)*

Adjetivos más largos

Si el adjetivo tiene dos o más sílabas, el superlativo positivo se forma añadiendo **the most** delante del adjetivo.

beautiful	the most beautiful
hermoso(a)	*el/la más hermoso*(a)
important	the most important
importante	*lo más importante*
expensive	the most expensive
caro(a)	*el/la más caro*(a)

Para formar un superlativo negativo, se coloca **the least** delante del adjetivo.

beautiful	the least beautiful
hermoso(a)	*el/la menos hermoso*(a)
important	the least important
importante	*lo menos importante*
expensive	the least expensive
costoso(a)	*el/la menos costoso*(a)

Superlativos irregulares

Los adjetivos **good** (bueno) y **bad** (malo) no siguen ninguna de las reglas descritas anteriormente.

good	better	the best
bueno	*mejor*	*el/la mejor*
bad	worse	the worst
malo	*peor*	*el/la peor*

adjetivo, caso superlativo, pg. 25

My mother's cooking is better than my cooking.
La comida que cocina mi madre es mejor que la que cocino yo.

My aunt's cooking is the best.
La comida que cocina mi tía es la mejor.

The green apple tastes worse than the red one.
La manzana verde sabe peor que la manzana roja.

The yellow apple tastes the worst.
La manzana amarilla es la que sabe peor.

Haga una lista de cosas que usted usa diariamente, como piezas de ropa, zapatos, vehículos, etc. Haga comparaciones, como por ejemplo, entre dos autos: **A Ford is a good car. A Mercedes is a better car. A Porsche is the best car.** (El auto Ford es bueno. Un Mercedes es mejor. Un Porsche es el mejor.)

a piece of cake

Se usa cuando una tarea o trabajo es muy fácil.

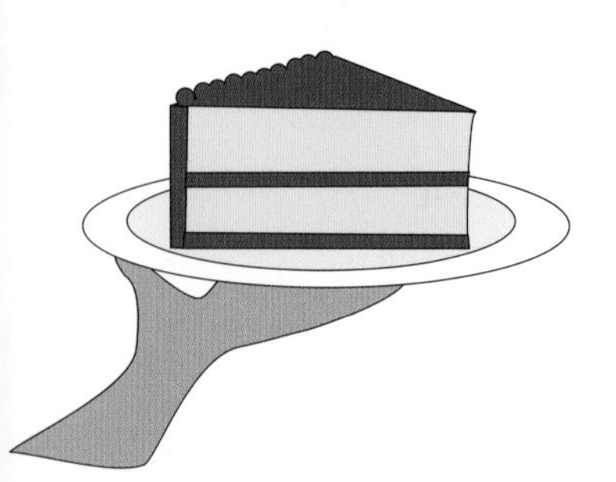

— Ronnie, did you finish the work I asked you to do?
— Yes, it only took one hour. It was a piece of cake.

— *¿Ronnie, terminaste el trabajo que te pedí?*
— *Sí, lo hice en una hora. Fue muy fácil.*

Éste es el texto completo del diálogo incluido en el video. Usted hará el papel del espectador **(viewer)**. Si le hacen una pregunta personal, conteste usando información personal. Tenga en cuenta que las respuestas del espectador que le proporcionamos no son las únicas respuestas correctas.

¿Qué le compro a mi padre?

Robert — What are you looking for?
¿Qué estás buscando?

Kathy — I'm looking for a gift for my father.
His birthday is next week.
Estoy buscando un regalo para mi padre.
Su cumpleaños es la próxima semana.

Robert — Do you know what you want to buy?
¿Sabes lo qué quieres comprar?

Kathy — No, I don't.
No, no lo sé.

Robert — Well, that sweater is nice. Don't you think so?
Bueno, ese suéter es fino. ¿No le parece?

Viewer *(Usted)* — Yes, I do.
Sí.

Robert — Does he need a sweater?
¿Necesita un suéter?

4 Diálogo

Kathy	He likes sweaters. But that sweater is too fancy. Can you find a plainer one? *Le gustan los suéteres. Pero ese suéter es demasiado elegante.* *¿Puedes encontrar uno más sencillo?*
Robert	How about this one? *¿Qué te parece éste?*
Kathy	Well, it is plainer than that one. But, I think it's too fancy, too. Is it the plainest? *Bueno, es más sencillo que aquél.* *Pero creo que también es demasiado elegante.* *¿Es el más sencillo?*
Robert	I think so. Does he need some socks? *Creo que sí. ¿Necesita calcetines?*
Kathy	No, he doesn't need any socks. *No, no necesita calcetines.*
Robert	How about a tie? *¿Qué tal una corbata?*

Kathy	Hmm... Maybe. *Mmm... Tal vez.*
Robert	How about this one? Or this one? *¿Qué te parece ésta? ¿O ésta?*
Kathy	That one is nice. But that one is nicer. This one is the nicest! It's the most beautiful. Is it expensive? *Ésa es fina. Pero aquella es más fina. ¡Ésta es la más fina!* *Es la más hermosa. ¿Es cara?*
Robert	No. *No.*
Kathy	Terrific! I'll buy it! *¡Magnífico! ¡La compraré!*

V Aprendamos viajando

Lección

V Aprendamos viajando

Aprendamos viajando

V

¡Bienvenido a "Aprendamos viajando"!

Acompáñenos a una gira por los Estados Unidos. Conocerá las ciudades y regiones más fascinantes de dicho país mientras aprende inglés.

Aprender un nuevo idioma requiere esfuerzo, compromiso y entusiasmo. Resulta más fácil si se dispone de ciertas herramientas. Usted está aprendiendo a hablar inglés, paso a paso, con Inglés sin Barreras. Cada lección ha sido cuidadosamente planeada y medida. Está aprendiendo palabras, expresiones y oraciones de forma progresiva.

"Aprendamos viajando" le abre las puertas a otro mundo didáctico. En esta sección, está aprendiendo a oír, a escuchar y a entender el inglés hablado a un ritmo normal.

Al principio, descubrirá que no puede entender cada palabra. Sólo entenderá lo esencial de lo que oye. Las imágenes le ayudarán. Poco a poco, irá descubriendo que entiende cada vez más y se sorprenderá de lo rápido que mejora su habilidad para comprender el sentido general de los comentarios de cada video.

Le recomendamos que vea varias veces cada sección de "Aprendamos viajando". De esta forma, aumentará su vocabulario mientras explora con nosotros los lugares más interesantes de los Estados Unidos.

¡Le deseamos un feliz viaje!

V Aprendamos viajando

When people talk of New York City, they usually mean Manhattan. There are four other boroughs in the city—Brooklyn, Queens, Bronx, and Staten Island—but Manhattan is the attraction. Manhattan, with its busy streets, sophisticated restaurants and department stores and elegant and tough neighborhoods, draws tourists from every country in the world.

Manhattan is an island city that is surrounded by rivers: the Hudson, Harlem and East Rivers. Approaching Manhattan from the ocean, one comes face to face with one of the most famous symbols of the modern world: the Statue of Liberty.

Standing over 150 feet high, Lady Liberty has been a symbol of hope and prosperity for millions of immigrants coming to America. Built as a gift from France in the late 19th century, this monument is situated on Liberty Island.

Liberty Island is reached by ferry from Battery Park in lower Manhattan. The nearby Ellis Island provides a complete history of the many people who came to America to seek their fortune.

North of Battery Park, in lower Manhattan, is Wall Street—one of the centers of the financial world. With Trinity Church at the west end of the street, Wall Street contains many offices of the Financial District.

Cuando la gente habla de la ciudad de Nueva York, se refiere generalmente a Manhattan. Hay cuatro municipios más en la ciudad: Brooklyn, Queens, Bronx y Staten Island; pero Manhattan es el centro de atracción. Manhattan, con sus calles bulliciosas, sus restaurantes sofisticados y sus grandes almacenes, sus barrios elegantes y sus barrios malos, atrae a turistas de todos los países del mundo.

Manhattan es una ciudad situada en una isla rodeada de ríos: el Hudson, el Harlem y el East. Al acercarse a Manhattan por el océano, uno se encuentra cara a cara con uno de los símbolos más famosos del mundo moderno: la Estatua de la Libertad.

Con más de ciento cincuenta pies de altura, la Dama de la Libertad es un símbolo de esperanza y prosperidad para millones de inmigrantes a su llegada a América. Un regalo construido en Francia a finales del siglo diecinueve, este monumento está ubicado en la Isla de la Libertad.

Se llega a la Isla de la Libertad por ferry desde Battery Park en el bajo Manhattan. La cercana isla Ellis proporciona la historia completa de las numerosas personas que vinieron a América en busca de fortuna.

Wall Street, uno de los centros del mundo financiero, está al norte de Battery Park, en el bajo Manhattan. La iglesia Trinity está en el extremo oeste de la calle, y Wall Street ocupa numerosas oficinas del Distrito Financiero.

Just west of Wall Street was one of the other great symbols of New York City—the World Trade Center. These buildings towered above the city. The tragedy of September 11, 2001 that destroyed the Twin Towers and much of the rest of the World Trade Center has forever altered the look and the feel of New York City.

But most of the symbols of the great city still stand, including the Brooklyn Bridge. Built from 1869 to 1883, this was the first bridge to use steel cables. Every day people walk or bicycle across the bridge from Brooklyn to Manhattan.

One of the first magnificent buildings in Manhattan was built in 1931 on the corner of 5th Avenue and 34th Street—The Empire State Building. It has 102 floors and 73 elevators. There are 1,806 steps to the top! From the building's Observation Deck visitors have a fantastic view of New York City in all directions.

On the weekends, people shop outside and inexpensively. Downtown bargain-hunting shoppers stroll through the open markets looking at jewelry, clothes, handbags, hats, shoes, and many other items. If the street bargains are not enough, you can enter the many exclusive boutiques and shops along the street.

The "Village," or Greenwich Village, is known for its educational institutions, such as New York University. Washington Square is the public park that is the center of student life in lower Manhattan.

Otro gran símbolo de la ciudad de Nueva York, el World Trade Center, estaba situado justo al oeste de Wall Street. Estos edificios se alzaban por encima de la ciudad. La tragedia del 11 de septiembre de 2001, que destruyó las Torres Gemelas y gran parte del World Trade Center, alteró para siempre la apariencia y el ambiente de la ciudad de Nueva York.

Pero la mayoría de los símbolos de esta gran ciudad siguen en pie, entre ellos, el puente de Brooklyn. Construido entre 1869 y 1883, éste fue el primer puente que se edificó con cables de acero. Todos los días, la gente cruza el puente caminando o en bicicleta desde Brooklyn a Manhattan.

Uno de los primeros y espléndidos edificios de Manhattan se construyó en 1931 en la esquina de la Quinta Avenida y la calle 34; el edificio Empire State. Tiene ciento dos pisos y setenta y tres ascensores. ¡Hay mil ochocientos seis escalones hasta la cima! Desde el mirador del edificio, los visitantes contemplan las magníficas vistas de la ciudad de Nueva York en todas direcciones.

Los fines de semana, la gente compra artículos baratos. En el centro de la ciudad, los compradores, buscando gangas, se pasean por los mercados al aire libre mirando alhajas, ropa, bolsos de mano, sombreros, zapatos y muchas cosas más. Si las rebajas de los mercados no son suficientes, usted puede entrar en las numerosas boutiques y tiendas exclusivas.

El "Village", o Greenwich Village, es famoso por sus centros académicos, como por ejemplo, la Universidad de Nueva York. La plaza Washington es el parque público que se ha convertido en el centro de reunión estudiantil del bajo Manhattan.

Today, students, faculty and working artists occupy the buildings in the neighborhoods surrounding the Village.

South of Canal Street are 40 square blocks of Chinatown. With its food stalls, green grocers, and specialty restaurants, this Chinese community of more than 150,000, is the largest Chinese community outside of Asia.

North of Canal Street, and within easy walking distance of Chinatown, is Little Italy, the home of delicious Italian cuisine. Sitting in an outdoor café after a meal on Mulberry Street, one can enjoy the slow motion of an Italian street scene in lower Manhattan.

Broadway. Just saying the word brings New York to mind. This famous Theater District is located along Broadway, roughly between 42nd Street and 59th Street. For inexpensive tickets to a musical, drama, or comedy production, visit TKTS in Duffy Square.

During the evening hours, Duffy Square is home to numerous neon signs and all kinds of nightlife.

Just to the east of the Theater District, in an area of Manhattan known as Midtown, is Grand Central Terminal. Grand Central is a good place to experience the rush and energy of New York City.

Hoy en día, estudiantes, profesores y artistas ocupan los edificios de los barrios que rodean el Village.

Las 40 manzanas de Chinatown están al sur de la calle Canal. Con sus puestos de comida, verdulerías, y restaurantes típicos, esta comunidad de más de ciento cincuenta mil habitantes es la comunidad china más grande fuera de Asia.

Little Italy, el barrio que ofrece sabrosa cocina italiana, está al norte de la calle Canal y a corta distancia a pie de Chinatown. Al sentarse en la terraza de un café después de comer en la calle Mulberry, se disfruta del ritmo apacible de las calles italianas del bajo Manhattan.

Broadway. Basta con pronunciar esa palabra para pensar en Nueva York. Este famoso distrito teatral está ubicado en la avenida Broadway, más o menos entre la calle 42 y la 59. Si desea comprar entradas a precio razonable para un musical, un drama o una comedia, vaya a TKTS en la plaza Duffy.

Por la noche, la plaza Duffy se viste de luces de neón y alberga toda clase de vida nocturna.

La estación Grand Central está justo al este del distrito teatral, en el área de Manhattan conocida como Midtown. La estación Grand Central es un buen lugar para sentir el ritmo acelerado y la energía de la ciudad de Nueva York.

Aprendamos viajando

Eight blocks north of Grand Central on Fifth Avenue is Rockefeller Center. With nineteen buildings, this is the largest privately owned entertainment and business complex in the world. Prometheus watches over the Plaza, where tourists and New Yorkers meet and stroll during every season of the year.

Directly across from Rockefeller Center on Fifth Avenue is St. Patrick's Cathedral. This church is an adaptation of French-Gothic style, with its spires rising up to 330 feet.

The United Nations is situated between First Avenue and the East River. The UN's 191 member nations are represented by their flags, in alphabetical order, outside the General Assembly Building.

The center of Manhattan is dominated by Central Park. This man-made park has 6.5 miles of roads, 58 miles of pedestrian walks and 4.5 miles of horse paths. Thousands of New Yorkers visit Central Park on the weekends.

To see all of Manhattan in about three hours, try the Circle Line. Departing from Pier 83, twelve cruises circle the island of Manhattan daily. Perhaps the highlight is sailing under the George Washington Bridge. Designed by the French architect Le Corbusier, this magnificent 3,500-foot suspension bridge has been called "the most beautiful bridge in the world."

From the boat you can see all of the bridges that connect Manhattan to other places, the tall buildings that make up Manhattan and even Yankee Stadium.

New York City, "the Big Apple," is "the city that never sleeps." It has even been called "the capital of the world." Its easy to see why people say, "If you are bored in New York, it's your own fault."

El centro Rockefeller está ocho cuadras al norte de Grand Central, en la Quinta Avenida. Consta de diecinueve edificios y es el complejo privado dedicado a los negocios y los espectáculos más grande del mundo. Prometeo vigila la plaza donde los turistas y neoyorquinos se reúnen y pasean en todas las estaciones del año.

La Catedral de San Patricio está justo enfrente del centro Rockefeller, en la Quinta Avenida. Su estilo es una adaptación del estilo gótico francés, con las torrecillas que se elevan a trescientos treinta pies de altura.

El edificio de las Naciones Unidas está situado entre la Primera Avenida y el río East. Los ciento noventa y un miembros de las Naciones Unidas están representados por las banderas colocadas en orden alfabético fuera del edificio de la Asamblea General.

Central Park domina el centro de Manhattan. Este parque artificial tiene seis millas y media de caminos, cincuenta y ocho millas de senderos peatonales y cuatro millas y media de vías equestres. Miles de neoyorquinos visitan Central Park los fines de semana.

Para ver todo Manhattan en unas tres horas aproximadamente, tome el ferry de la compañía Circle Line que parte del Muelle 83. Doce cruceros circundan la isla de Manhattan a diario. Tal vez la atracción principal sea navegar por debajo del puente George Washington. Diseñado por el arquitecto francés Le Corbusier, este magnífico puente colgante de tres mil quinientos pies ha sido denominado "el puente más hermoso del mundo".

Desde el barco se puede ver todos los puentes que unen Manhattan a otros lugares, los rascacielos que forman Manhattan e incluso el estadio Yankee.

La ciudad de Nueva York, "la Gran Manzana", es "la ciudad que nunca duerme". Se le ha llamado incluso "la capital del mundo". Es fácil entender por qué dice la gente: "Si te aburres en Nueva York, es culpa tuya".

C Aprendamos cantando

Lección

Notas

Aprendamos cantando

C

Introducción

El idioma inglés es mucho más que un conjunto de palabras y reglas gramaticales; y donde más se hace aparente es en el lenguaje hablado. El inglés informal contiene expresiones, vocablos y frases que usted no encontrará en los diccionarios y que, sin embargo, son esenciales para comunicarse. Los modismos ingleses, o **idioms**, como **never mind** o **it's up to you**, pueden generar frustración en el estudiante, que ni entiende, ni sabe dónde encontrar su significado. Si no logra dominarlos y utilizarlos, su comprensión y manejo del lenguaje serán ncompletos y limitados.

Nuestro propósito es enseñarle el inglés de la vida real y cotidiana. El mejor ejemplo de este inglés lo ofrecen las canciones populares, ya que éstas están repletas de modismos, contracciones, abreviaturas y expresiones que sólo se utilizan en el inglés informal.

Los temas que contiene **Aprendamos cantando**, representativos de los distintos géneros de la música inglesa, han sido seleccionados por su riqueza en este tipo de expresiones y por su interés lingüístico. Una vez que haya analizado su contenido y aprendido a cantarlos, no solo dominará palabras y frases de uso diario en el inglés hablado, sino que además, habrá sacado a relucir el artista que hay en su interior.

A continuación encontrará algunas sugerencias que le ayudarán a estudiar con estas canciones.
En la primera parte de **Aprendamos cantando** se explicarán las expresiones o frases importantes que aparecen en la canción. Escuche la canción y siga la letra en su pantalla. Repita esto cuantas veces le parezca necesario hasta que entienda y sepa pronunciar todas las palabras. En el manual de cada volumen, encontrará la letra de la canción en inglés y su traducción al español.

Luego, cante las estrofas al mismo tiempo que el cantante. Después de la versión cantada, usted oirá la canción de nuevo, pero esta vez sin la voz del cantante. El último paso es cantar la canción usted sólo, acompañado sólamente por la melodía y siguiendo la letra en la pantalla de su televisor. La bolita y el cambio de color de cada estrofa le ayudarán a cantar en sintonía con la música. Además, hemos escrito en verde las palabras cuyo significado se explica en el manual.

Es muy simple. Ahora, vamos a divertirnos y a aprender... ¡Cantando!

(to) put all your eggs in one basket

Su traducción literal es "poner todos los huevos en un solo cesto". Esta expresión se utiliza cuando se concentran todos los esfuerzos en un solo objetivo.

— I'm going to invest all of my money in this new company.
I'm sure I'll make a fortune.
— You shouldn't put all your eggs in one basket.
If the company fails, you'll have nothing.
You should diversify your portfolio.

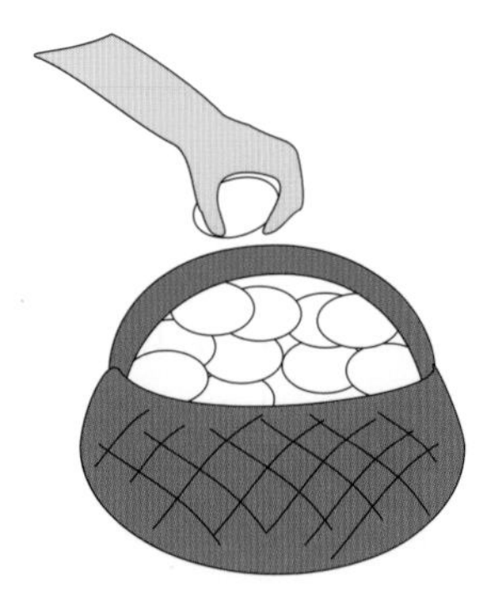

— *Voy a invertir todo mi dinero en esta nueva compañía.*
Estoy seguro de que voy a hacer una fortuna.

— *No deberías poner todos tus huevos en un solo cesto.*
Si la compañía fracasa, lo vas a perder todo. Lo que debes hacer es diversificar tu cartera de inversiones.

Like a Virgin

Música y letra
Billy Steinberg
Tom Kelly

La música y letra de las canciones se encuentran en los videos. Localice en su video la sección titulada "Aprendamos cantando".

Like a Virgin es una canción pop típica del final del apogeo de la música "disco" o "de discoteca" de la década de los ochenta. La musica pop, o **pop music** (música popular), es un término muy general que describe canciones con un ritmo marcado y que se tocan con instrumentos electrónicos. **Like a Virgin**, la canción que titula el segundo disco de Madonna, fue la primera canción de la cantante que llegó al número 1 en ventas en los EE.UU.

Like a Virgin presenta varios ejemplos de cómo acortar palabras al hablar. Estas expresiones son muy comunes en el inglés hablado pero no en el inglés escrito.
La palabra **because**,"porque", pierde una sílaba y se convierte simplemente en **'cause**. Fíjese en el apóstrofo que se encuentra antes de la letra "**c**". El apóstrofo nos señala que faltan una o más letras. En este caso, el apóstrofo sustituye a 2 letras: la **b** y la **e**.
I have been se convierte en **been**.
Been saving my love, significa lo mismo que **I have been saving my love**, "he estado guardando mi amor".
La expresión **gonna** nos ahorra tres palabras, ya que se utiliza en vez de **I am going to**.
Gonna give you all my love es lo mismo que **I am going to give you all my love**, y significa "te voy a dar todo mi amor". **Gonna** es propio del lenguaje coloquial hablado y no se debe usar al escribir.

Otras expresiones interesantes son **I was beat** y **I'd been had**.
To beat quiere decir "pegar" o "derrotar", pero **to be beat** también tiene otro sentido en el lenguaje coloquial: "estar abatido".
I was beat, significa por lo tanto, "Estaba abatida".

C

Aprendamos cantando

La traducción literal de **I'd been had** es "me habían tenido", lo cual suena a pura tontería. Sin embargo, **to be had** es una frase hecha que significa "ser engañado". Por lo tanto, **I'd been had** significa "me habían engañado".

En el inglés hablado, también se abrevian los verbos. Esta canción incluye varios ejemplos.

- **I'd** en vez de **I had.**
- **I'll** en vez de **I will.**

La palabra **will**, como la expresión **going to**, se usa para indicar el futuro. Por ejemplo, la canción dice **I'll be yours**, que es lo mismo que **I will be yours**, "yo seré tuya".

Otra contracción muy común es **you're** en vez de **you are**.
¡Ojo!
You're se confunde a menudo con la palabra **your** ya que se pronuncia igual. Pero ambas se escriben de forma diferente y su significado es totalmente distinto.
Your quiere decir "tuyo" o "tuyos".
You're, significa "tú eres" o "usted es".

Blue, que es "azul" en inglés, también significa "tristeza" o "melancolía".
I was sad and blue quiere decir "Estaba triste y melancólica".
En inglés, se utilizan con frecuencia los colores para describir estados de ánimo.
To see red, que palabra por palabra significa "ver rojo", se usa en vez de "enojarse". **A black mood** -palabra por palabra, "humor negro"- significa "mal humor".
Una palabra que usted escuchará muy a menudo es **yeah**, la manera informal de decir **yes**, "sí".

Y ahora diviértase cantando... Like a Virgin.

Like a Virgin

I made it through the wilderness
Somehow I made it through
Didn't know how lost I was
Until I found you
I was beat
Incomplete
I'd been had,
I was sad and blue
But you made me feel
Yeah, you made me feel
Shiny and new
Hey, like a virgin
Touched for the very first time
Like a virgin
When your heart beats
Next to mine

Gonna give you all my love, boy
My fear is fading fast
Been saving it all for you
'Cause only love can last
You're so fine and you're mine
Make me strong
Yeah, you make me bold
Oh, your love thawed out
Yeah, your love thawed out
What was scared and cold

Como una virgen

Atravesé el desierto,
De alguna forma lo atravesé.
No sabía cuán perdida estaba
Hasta que te encontré.
Estaba abatida,
Incompleta,
Me habían engañado,
Estaba triste y melancólica.
Pero tú me hiciste sentir
Sí, me hiciste sentir
Brillante y nueva.
Hey, como una virgen,
Tocada por primera vez,
Como una virgen,
Cuando tu corazón palpita
Junto al mío.

Te daré todo mi amor, chico.
Mi miedo se esfuma rápidamente.
Lo he guardado todo para ti,
Porque sólo el amor perdura.
Eres tan hermoso y eres mío.
Hazme fuerte,
Sí, me haces valiente.
Oh, tu amor derritió
Sí, tu amor derritió
Lo que estaba asustado y frío.

Aprendamos cantando

Like a virgin, hey
Touched for the very first time,
Like a virgin
With your heartbeat
Next to mine, ooh, oooh

Como una virgen, hey
Tocada por primera vez,
Como una virgen
Con el latido de tu corazón
Junto al mío, oooh, ooh.

You're so fine and you're mine!
I'll be yours till the end of time!
'Cause you made me feel
Yeah, you made me feel
I'd nothing to hide

¡Eres tan hermoso y eres mío!
Seré tuya hasta el fin del tiempo
Porque me hiciste sentir
Sí, me hiciste sentir
Que no tenía nada que esconder.

Like a virgin, hey
Touched for the very first time
Like a virgin
With your heartbeat
Next to mine

Como una virgen, hey
Tocada por primera vez
Como una virgen
Con el latido de tu corazón
Junto al mío.

Like a virgin
Oooh, like a virgin
Feels so good inside

Como una virgen
Oooh, como una virgen
Se siente tan bien adentro,

When you hold me
And your heart beats
And you love me, oh
Oooh, baby
Can't you hear my heart beat
For the very first time?

Cuando tu me abrazas
Y tu corazón late,
Y me amas, oh
Oooh, nene
¿No oyes latir mi corazón
Por primerísima vez?

Lección

C Aprendamos conversando

Actividad 1
Where can I find the produce?

¿Dónde puedo encontrar las frutas y verduras?

Where are the baked goods?
¿Dónde están los productos de panadería?

Where is the meat?
¿Dónde está la carne?

Where is the frozen food section?
¿Dónde está la sección de alimentos congelados?

Where is the seafood aisle?
¿Dónde está el pasillo de los mariscos?

Where is the dairy section?
¿Dónde están los productos lácteos?

Which aisle has snacks?
¿En qué pasillo se encuentran los aperitivos?

Where can I find the cereal?
¿Dónde puedo encontrar los cereales?

Where is the canned goods aisle?
¿Dónde está el pasillo de los alimentos enlatados?

Where are the beverages?
¿Dónde están las bebidas?

Actividad 2
Do you need any apples?
¿Necesitas manzanas?

Do you need any oranges?
¿Necesitas naranjas?

Do you need any lemons?
¿Necesitas limones?

Do you need any limes?
¿Necesitas limas?

Do you need any peaches?
¿Necesitas duraznos?

Do you need any pears?
¿Necesitas peras?

Do you need any pineapples?
¿Necesitas piñas?

Do you need any grapes?
¿Necesitas uvas?

Do you need any strawberries?
¿Necesitas fresas?

Do you need any cherries?
¿Necesitas cerezas?

Do you need any bananas?
¿Necesitas plátanos?

Do you need any peas?
¿Necesitas chícharos (guisantes)?

Do you need any green beans?
¿Necesitas ejotes (habichuelas)?

Do you need any carrots?
¿Necesitas zanahorias?

Do you need any avocados?
¿Necesitas aguacates?

Do you need any onions?
¿Necesitas cebollas?

Do you need any lettuce?
¿Necesitas lechuga?

Do you need any tomatoes?
¿Necesitas tomates?

Do you need any green peppers?
¿Necesitas pimientos verdes?

Do you need any chili peppers?
¿Necesitas chiles?

Do you need any potatoes?
¿Necesitas papas?

Actividad 3
Do you eat beef?
Do you eat pork?
Do you eat lamb?
Do you eat veal?
Do you eat chicken?
Do you eat turkey?
Do you eat ham?
Do you eat sausages?
Do you eat bacon?
Do you eat hot dogs?
Do you eat hamburgers?
Do you eat steak?

. . . .

Can you eat shrimp?
Can you eat scallops?
Can you eat lobster?
Can you eat clams?
Can you eat mussels?
Can you eat tuna?
Can you eat salmon?
Can you eat flounder?

Actividad 3
¿Comes carne?
¿Comes carne de cerdo?
¿Comes cordero?
¿Comes carne de ternera?
¿Comes pollo?
¿Comes pavo?
¿Comes jamón?
¿Comes salchichas?
¿Comes tocino?
¿Comes perritos calientes?
¿Comes hamburguesas?
¿Comes bistec?

. . . .

¿Puedes comer camarones?
¿Puedes comer vieiras?
¿Puedes comer langosta?
¿Puedes comer almejas?
¿Puedes comer mejillones?
¿Puedes comer atún?
¿Puedes comer salmón?
¿Puedes comer lenguado?

Actividad 4
I have to buy some milk.
I have to buy some cheese.
I have to buy some yogurt.
I have to buy some butter.
I have to buy some margarine.
I have to buy some eggs.
I have to buy some bread.
I have to buy some rolls.
I have to buy some cake.
I have to buy some pie.

. . . .

Do you want to buy a pound of cookies?
Do you want to buy a quart of milk?

Actividad 4
Tengo que comprar algo de leche.
Tengo que comprar algo de queso.
Tengo que comprar algo de yogur.
Tengo que comprar algo de mantequilla.
Tengo que comprar algo de margarina.
Tengo que comprar algunos huevos.
Tengo que comprar algo de pan.
Tengo que comprar algunos bolillos.
Tengo que comprar un pastel.
Tengo que comprar una tarta.

. . . .

¿Quieres comprar una libra de galletas?
¿Quieres comprar un cuarto de galón de leche?

C

Aprendamos conversando

Do you want to buy a half gallon of milk?
Do you want to buy a gallon of milk?
Do you want to buy a pound of coffee?
Do you want to buy eight ounces of cheese?
Do you want to buy a loaf of bread?
Do you want to buy a dozen rolls?

¿Quieres comprar medio galón de leche?
¿Quieres comprar un galón de leche?
¿Quieres comprar una libra de café?
¿Quieres comprar ocho onzas de queso?
¿Quieres comprar una barra de pan?
¿Quieres comprar una docena de bolillos?

Actividad 5

1. apple/apples "z"
2. grape/grapes "s"
3. lemon/lemons "z"
4. banana/bananas "z"
5. carrot/carrots "s"
6. onion/onions "z"
7. hamburger/hamburgers "z"
8. hot dog/hot dogs "z"
9. egg/eggs "z"
10. snack/snacks "s"

Actividad 5

1. *manzana/manzanas*
2. *uva/uvas*
3. *limón/limones*
4. *plátano/plátanos*
5. *zanahoria/zanahorias*
6. *cebolla/cebollas*
7. *hamburguesa/hamburguesas*
8. *perrito caliente/perritos calientes*
9. *huevo/huevos*
10. *aperitivos/aperitivos*

Actividad 6

Woman: We need some milk.
Man: How much should I buy?
Woman: We need some tomatoes.
Man: How many should I buy?
Woman: We need some ham.
Man: How much should I buy?
Woman: We need some butter.
Man: How much should I buy?
Woman: We need some avocados.
Man: How many should I buy?
Woman: We need some peaches.
Man: How many should I buy?
Woman: We need some bacon.
Man: How much should I buy?
Woman: We need some coffee.
Man: How much should I buy?
Woman: We need some lemons.
Man: How many should I buy?

Actividad 6

Mujer: Necesitamos leche.
Hombre: ¿Cuánta debería comprar?
Mujer: Necesitamos tomates.
Hombre: ¿Cuántos debería comprar?
Mujer: Necesitamos jamón.
Hombre: ¿Cuánto debería comprar?
Mujer: Necesitamos mantequilla.
Hombre: ¿Cuánta debería comprar?
Mujer: Necesitamos aguacates.
Hombre: ¿Cuántos debería comprar?
Mujer: Necesitamos duraznos.
Hombre: ¿Cuántos debería comprar?
Mujer: Necesitamos tocino.
Hombre: ¿Cuánto debería comprar?
Mujer: Necesitamos café.
Hombre: ¿Cuánto debería comprar?
Mujer: Necesitamos limones.
Hombre: ¿Cuántos debería comprar?

Actividad 7
I need new clothes.
I need a new T-shirt.
I need a new shirt.
I need a new blouse.
I need new sweaters.
I need a new dress.
I need a new suit.
I need new skirts.
I need new ties.
I need a new jacket.
I need a new coat.
I need a new raincoat.
I need a new scarf.
I need new gloves.
I need a new hat.
I need a new cap.
I need new pants.
I need new jeans.
I need new shorts.
I need new pajamas.
I need new undershirts.
I need new socks.
I need new shoes.
I need new sneakers.
I need new tennis shoes.
I need new sandals.
I need new slippers.
I need new boots.
I need a new belt.

Actividad 8
Woman: I'm looking for a blue sweater.
Do you have any blue sweaters?
Man: I'm looking for purple pants.
Do you have any purple pants?
Woman: I need a black T-shirt.
Do you have any black T-shirts?

Actividad 7
Necesito ropa nueva.
Necesito una playera nueva.
Necesito una camisa nueva.
Necesito una blusa nueva.
Necesito suéteres nuevos.
Necesito un vestido nuevo.
Necesito un traje nuevo.
Necesito faldas nuevas.
Necesito corbatas nuevas.
Necesito una chaqueta nueva.
Necesito un abrigo nuevo.
Necesito un impermeable nuevo.
Necesito una bufanda nueva.
Necesito guantes nuevos.
Necesito un sombrero nuevo.
Necesito una gorra nueva.
Necesito pantalones nuevos.
Necesito pantalones de mezclilla nuevos.
Necesito pantalones cortos nuevos.
Necesito un pijama nuevo.
Necesito camisetas nuevas.
Necesito calcetines nuevos.
Necesito zapatos nuevos.
Necesito zapatos deportivos nuevos.
Necesito zapatillas de tenis nuevas.
Necesito sandalias nuevas.
Necesito pantuflas nuevas.
Necesito botas nuevas.
Necesito un cinturón nuevo.

Actividad 8
Mujer: Estoy buscando un suéter azul.
¿Tiene suéteres azules?
Hombre: Estoy buscando pantalones morados.
¿Tiene pantalones morados?
Mujer: Necesito una camiseta negra.
¿Tiene camisetas negras?

C Aprendamos conversando

Man: I need a navy blue suit.
Do you have any navy blue suits?
Woman: I need a winter coat.
Do you have any winter coats?
Man: I can't find the baseball caps.
Do you have any baseball caps?
Woman: I'm trying to find a long yellow skirt.
Do you have any long yellow skirts?
Man: I'm looking for a white shirt.
Do you have any white shirts?
Woman: I'm looking for a black raincoat.
Do you have any black raincoats?

Hombre: Necesito un traje azul marino.
¿Tiene trajes azul marino?
Mujer: Necesito un abrigo de invierno.
¿Tiene abrigos de invierno?
Hombre: No puedo encontrar las gorras de béisbol.
¿Tiene gorras de béisbol?
Mujer: Estoy intentando encontrar una camisa amarilla larga.
¿Tiene camisas amarillas largas?
Hombre: Estoy buscando una camisa blanca.
¿Tiene camisas blancas?
Mujer: Estoy buscando un impermeable negro.
¿Tiene impermeables negros?

Actividad 9

Diálogo 1 (ver página 27)
What is Tom thinking of having for lunch?
Carrots, a potato, beans, a banana and strawberries.

Diálogo 2 (ver página 42)
What foods do they need to buy?
Carrots, potatoes, eggs, beef, rice, and cookies.

Diálogo 3 (ver página 62)
What does Leslie decide to wear?
She is going to wear a blouse with jeans.

Diálogo 4 (ver página 75)
What is Kathy going to buy for her father's birthday?
A plain sweater and an inexpensive tie.

Actividad 9

Diálogo 1
¿Qué ha pensado comer Tom?
Zanahorias, una papa, frijoles, un plátano y fresas.

Diálogo 2
¿Qué comida tienen que comprar?
Zanahorias, papas, huevos, carne de res, arroz y galletas.

Diálogo 3
¿Qué decide ponerse Leslie?
Va a ponerse una blusa con pantalones vaqueros.

Diálogo 4
¿Qué va a comprar Kathy para el cumpleaños de su padre?
Un suéter liso y una corbata económica.

Aprendamos conversando

C

Actividad 10 (ver página 97)

1. sad S-A-D
2. blue B-L-U-E
3. shiny S-H-I-N-Y
4. new N-E-W
5. fine F-I-N-E
6. strong S-T-R-O-N-G
7. bold B-O-L-D
8. scared S-C-A-R-E-D
9. cold C-O-L-D
10. good G-O-O-D

Actividad 10

1. *triste*
2. *azul*
3. *brillante*
4. *nuevo*
5. *bueno*
6. *fuerte*
7. *valiente*
8. *asustado*
9. *frío*
10. *bueno*

Actividad 11

1. The temperature was below zero yesterday. I'm sure it was the coldest day of the year.
2. I was happy yesterday. But not today. I don't know why, but I feel sadder than I felt yesterday.
3. I want to buy a blue sweater. But this one looks gray to me. Don't you have one that's bluer?
4. I have two pennies. One of them is very old. The other one is much newer.
5. The new penny is much shinier than the old one.
6. My little daughter liked the lightning storm last night. I was more scared than she was!
7. Sculpture, painting, and music are called "fine arts." Of all the arts, which do you think is the finest art?
8. My brother is not scared of anything. He's the boldest man I know!
9. Mom, you always make good dinners. But this is the best meal of my life! Thank you so much for this wonderful birthday party!
10. I need to exercise more. I want to be stronger than I am now.

Actividad 11

1. *Ayer la temperatura estuvo bajo cero. Estoy seguro de que fue el día más frío del año.*
2. *Ayer estaba feliz. Pero hoy no. No sé porqué, pero hoy me siento más triste que ayer.*
3. *Quiero comprar un suéter azul. Pero éste me parece gris. ¿No tiene uno que sea más azul?*
4. *Tengo dos centavos. Uno es muy viejo. El otro es mucho más nuevo.*
5. *El centavo nuevo es mucho más brillante que el viejo.*
6. *A mi hijita le gustó la tormenta de relámpagos de anoche. ¡Yo estaba más asustada que ella!*
7. *La escultura, la pintura y la música se llaman las "bellas artes". De todas las artes, ¿cuál le parece la más bella?*
8. *Mi hermano no tiene miedo de nada. ¡Es el hombre más valiente que conozco!*
9. *Mamá, siempre preparas cenas ricas. ¡Pero ésta es la mejor comida de mi vida! ¡Muchas gracias por esta maravillosa fiesta de cumpleaños!*
10. *Necesito hacer más ejercicio. Quiero estar más fuerte de lo que estoy ahora.*

Aprendamos conversando

Actividad 12
Looking for new clothes at the lowest prices in town? For the biggest selection of men's and women's clothing—and all the latest fashions, come to Wear-Mart this week and save! You'll find the most elegant men's suits and the most exciting ladies' formal wear, as well as a larger collection of sportswear than in any other store in the city! And bring the whole family along! We have clothes for infants, clothes for toddlers, and the most extensive variety of back-to-school fashions to appeal to the hardest-to-satisfy of kids! It's the greatest clothing sale of the year at Wear-Mart! And the sooner you come, the greater the selection of bargains you'll find. It's the happiest week of the year for Wear-Mart salespeople—the kindest and most helpful staff in the industry! Because at Wear-Mart, we care about people and we care about clothes!

What month is this commercial for?
September!
How do you know?
Because they're advertising back-to-school clothes!

Actividad 12
¿Está buscando ropa nueva a los precios más bajos de la ciudad? Para la selección más grande de ropa para hombre y mujer—y todas las modas más recientes, ¡venga a Wear-Mart esta semana y ahorre! ¡Encontrará los trajes para hombre más elegantes y la ropa formal para mujer más fabulosa, así como una colección de ropa deportiva más grande que en cualquier otra tienda de la ciudad! ¡Y traiga a toda la familia! ¡Tenemos ropa para bebés, ropa para niños y la variedad más extensa de moda de temporada escolar para agradar a los niños más difíciles de complacer! ¡Es la mayor venta de ropa del año en Wear-Mart! Y cuanto antes venga, mayor será la selección de rebajas que encontrará. ¡Es la semana más feliz para los vendedores de Wear-Mart—¡la gente más amable y servicial de la industria! Porque en Wear-Mart, ¡nos importa la gente y nos importa la ropa!

¿Para qué mes es este anuncio?
¡Septiembre!
¿Cómo lo supo?
¡Porque anuncian ropa para la temporada escolar!